La Commensale

PUBLICATIONS DE GÉRARD BESSETTE

Poèmes temporels (Monte-Carlo, Regain, 1954)

La Bagarre, roman (Montréal, Cercle du Livre de France, 1958)

Le Libraire, roman (coédition: Paris, René Julliard; Montréal, Cercle du Livre de France, 1960)

Les Images en poésie canadienne-française (Montréal, Beauchemin, 1960)

Les Pédagogues, roman (Montréal, Cercle du Livre de France, 1961)

Anthologie d'Albert Laberge, édition et préface (Montréal, Cercle du Livre de France, 1962)

Not for Every Eye, traduction du *Libraire* (Toronto, Macmillan, 1962)

L'Incubation, roman (Montréal, Déom, 1965) prix du Gouverneur général, 1966

Incubation, traduction de *l'Incubation* (Toronto, Macmillan, 1967)

Une littérature en ébullition (Montréal, Éditions du Jour, 1968)

De Québec à Saint-Boniface: récits et nouvelles du Canada français, choix des textes, notes et préface (Toronto, Macmillan, 1968)

Histoire de la littérature canadienne-française, en collaboration avec Lucien Geslin et Charles Parent (Montréal, Centre éducatif et culturel, 1968)

Le Cycle (Montréal, Éditions du Jour, 1971) prix du Gouverneur général, 1971

Trois romanciers québécois (Montréal, Éditions du Jour, 1973)

Gérard Bessette

La Commensale

roman

Oeuvres publiées en coédition:

Les Editions QUINZE
3465, Côte-des-Neiges, Montréal

Les Editions Internationales Alain Stanké
2100, rue Guy, Montréal

Distributeur exclusif pour le Canada:
Les Messageries Internationales du livre Inc.
4550, rue Hochelaga, Montréal H1V 1C6

Distributeur exclusif pour l'Europe:
Librairie Hachette
79, boul. Saint-Germain, Paris VIe (France)

Maquette: Raymond Bellemare
Photo de la couverture: Kéro

ISBN 0-88565-000-X

Dépôt légal: 4e trimestre 1975
               Bibliothèque nationale du Québec

Tous droits de reproduction, d'adaptation
ou de traduction réservés

© 1975 — Les Écrivains coopérative d'édition

AVERTISSEMENT

Le roman qu'on va lire n'est pas une œuvre récente. Elle remonte aux débuts de la Révolution tranquille. Quand sonnera pour moi l'heure des mémoires, je tenterai peut-être d'expliquer pourquoi, après avoir poli et repoli la Commensale *avec acharnement, je décidai de la laisser refroidir au moment où (si j'ai bonne souvenance) j'entreprenais la future* Incubation.

C'est grâce aux bons soins de Réjean Robidoux, qui a eu la patience de scruter le texte et d'en souder les différentes versions, que la Commensale *voit aujourd'hui le jour. Je tiens à lui en exprimer ici ma vive reconnaissance; à exprimer aussi l'espoir que les lecteurs lui en sauront gré.*

G.B.

PAULO M'A DIT :
— Je fiche le camp.

Nous sortions du bureau comme d'ordinaire à cinq heures, et il m'a dit comme ça : « Je fiche le camp. » Il avait l'œil venimeux, la lèvre amère. Tout d'abord, je n'ai pas compris. Ça ne m'a pas dérangé. Il a l'habitude de parler par énigmes. Je porte le moins d'attention possible à ses paroles. Je ne lui demande jamais de s'expliciter. C'est d'autant plus facile qu'il semble lui-même attacher fort peu d'importance à ce qu'il dit. Il a la voix traînante, le masque léthargique. Quand il parle, c'est beaucoup plus par besoin d'exercer ses cordes vocales que d'exprimer des pensées. Paulo peut avoir ses défauts — qui n'en a pas ? — mais ce n'est pas un penseur. Nous nous entendons très bien. Mais quand il m'a dit : « Je fiche le camp », c'était d'un tel ton que j'ai malgré moi tendu l'oreille. Toutefois, je n'ai pas été obligé de poser de question. Il a ajouté tout de suite :
— J'en ai assez de cette boîte.

La « boîte », c'était le bureau, naturellement. J'ai compris qu'il s'en allait. En un sens, ça m'emmerdait. Je me suis dit qu'il me faudrait trouver un autre commensal pour le déjeuner. Ce n'est pas que je déteste manger seul ; ce serait plutôt le contraire. Mais j'ai remarqué qu'alors je digère moins bien, que j'ai des brûlements d'estomac. Ça fait quatre ans et demi que Paulo et moi nous déjeunons ensemble. Autrefois, nous allions à une gargote italienne, mais depuis que sa femme est malade, c'est-à-dire depuis six mois au moins — je me demande bien ce qu'elle peut avoir — Paulo, qui tire le diable par la queue, s'est mis à apporter ses sandwiches au bureau. Je fais de même. Je les achète en passant à un casse-croûte près de chez moi. Fabriqués en série et ayant traîné sur le comptoir depuis la veille, ils sont d'une fadeur qui ne se dément jamais. D'ailleurs, le manque d'exercice (Paulo se refuse obstinément à toute promenade), l'atmosphère stagnante de la boîte et son aspect miteux d'écurie désaffectée ne sont pas de nature à favoriser la digestion. J'ai presque toujours des maux de tête vers la fin de l'après-midi. Mon travail s'en ressent: je commets des erreurs ridicules. Le patron gueule, tempête. Il m'a demandé à plusieurs reprises si j'étais malade. Je lui ai répondu à tout hasard que je souffrais de céphalée. De fait, quand je suis en forme, je ne me trompe jamais. Je le dis sans me vanter: je possède un don exceptionnel pour les chiffres. C'est pour ça que je suis devenu comptable. J'éprouve un plaisir, je ne dirai pas intense — ça ne m'arrive jamais — mais un plaisir incontestable à coucher mes entrées dans le grand livre et à équilibrer mes comptes. Il m'arrive même souvent le soir dans ma chambre de faire diverses opérations arithmétiques, simplement pour m'amuser. J'ai une montre-chronographe au moyen de laquelle je mesure le temps que je mets à additionner des colonnes de chiffres. Au bureau, je ne me sers jamais de la calculatrice. Ma précision et ma célérité font l'admiration des autres employés. C'est toujours moi qui finis mon travail le premier. Je veux dire qu'il en était ainsi autrefois, avant que je commence à apporter mes sandwiches...

Paulo m'a donc dit: «J'en ai assez de cette boîte». Comme je ne répondais pas, il a ajouté:

— Le patron est un cochon, — c'est un fait reconnu.

Je ne répliquais toujours pas, dans l'espoir qu'il finirait par changer de disque. Mais Paulo fit montre ce soir-là d'une obstination inusitée :

— Est-ce un fait reconnu, ou n'est-ce pas un fait reconnu ?

De nouveau son œil glauque laissait filtrer un éclat quasi vivant. Je lui ai dit que, à mon avis, tous les hommes étaient des cochons, les patrons peut-être un peu plus que les autres, mais que c'était fatal : chaque fois que l'on jouit d'un certain pouvoir, on est porté à en abuser. Paulo n'a pas paru satisfait. Je l'ai regardé : la tête lui balançait au bout de son cou de dindon — c'est chez lui un symptôme d'irritation. Il a agité quelques instants sa pomme d'Adam triangulaire, puis il a répété avec feu :

— M. de Repentigny est un cochon comme il ne s'en fait plus : c'est un fait reconnu.

Je lui ai répondu que, selon moi, la cochonnerie de M. de Repentigny ne dépassait pas les bornes admises dans notre société capitaliste.

J'avais atteint mon but : sitôt que l'on prononce devant Paulo le mot « capitaliste », on est sûr qu'il va divaguer un bon quart d'heure. De sa voix redevenue dolente, geignarde, il s'est donc lancé dans des considérations filandreuses sur l'iniquité de notre système économique, sur l'exploitation éhontée que nous subissions aux mains des richards, sur le sort tragique des prolétaires qui engraissent de leur sueur un ramassis de parasites. N'était-ce pas une honte, par exemple, qu'un employé consciencieux et compétent comme lui ne gagnât que soixante dollars par semaine, alors qu'un cochon comme de Repentigny, qui n'avait qu'à déposer quotidiennement ses fesses dans un fauteuil présidentiel, roulait dans l'argent. Je n'écoutais Paulo que d'une oreille. Ses jérémiades, je les connais par cœur. J'aurais pu lui répondre que M. de Repentigny travaillait au contraire très fort — ce qui est vrai — tandis que lui, Paulo, est un employé négligent et paresseux. Mais à quoi bon? Le ton de sa voix était redevenu léthargique. Je n'allais pas l'aviver par des remarques intempestives. Mais j'avais mal calculé les réserves d'énergie, d'initiative que Paulo possédait ce jour-là, car il m'a dit tout à coup, sans transition:

— Pourquoi ne viens-tu pas avec moi? Je connais le gérant de la *Royal Salvage Company*. C'est là que je vais travailler. Ils ont besoin d'un comptable. Hein, Jérôme, viens-t'en donc avec moi!

Sa voix devenait larmoyante, ce qui m'emmerdait un peu, car je déteste la sentimentalité. Je lui ai répondu qu'il n'en était pas question, que les changements n'étaient pas mon fort. Là-dessus, Paulo exprima l'avis que nul homme soucieux de sa dignité ne devrait continuer à travailler pour le compte d'un cochon aussi incontestable que le dénommé Théodore de Repentigny. J'ai trouvé cette insistance de mauvais goût. Moi, j'aime bien engueuler les gens de temps en temps, mais seulement quand je suis en colère, ce qui arrive d'ailleurs assez souvent. Mais la plupart du temps, je les laisse tranquilles. Je n'essaie pas de les influencer. On a assez d'emmerdements personnels sans se fourrer le nez dans ceux des autres. Avec une pointe d'aigreur, j'ai souligné à Paulo que je n'avais pas mis en doute la cochonnerie du sieur de Repentigny. Seulement comme, à mon avis, tous les patrons étaient des cochons, je préférais endurer une cochonnerie dont j'avais l'habitude plutôt que d'en subir une nouvelle qui nécessiterait fatalement une période d'adaptation pénible. Alors Paulo m'a dit d'une voix brisée:

— Si tu ne viens pas, c'est parce que tu ne m'aimes pas.

Il avait la figure contractée, l'œil aqueux. C'était pénible et ridicule. Je lui ai dit que c'était vrai, que d'ailleurs je n'aimais personne parce que je n'étais pas de nature sentimentale. D'un geste étonnamment rapide, Paulo a donné une tape rageuse sur son chapeau melon et il a dit:

— Puisque c'est comme ça, salut!

Et il est parti. C'était, en somme, un bon débarras.

N'empêche que, une fois seul, je me suis redit qu'il me faudrait trouver un autre commensal pour le déjeuner: sur le chapitre de la digestion je ne transige pas. C'était un emmerdement indéniable. Qui demander en effet? Je ne parle presque jamais aux autres employés du bureau. Avant que Paulo ne me confie son projet, j'avais l'intention de rentrer à ma garçonnière faire des additions. Ma céphalée était moins aiguë que d'habitude et je me disais que j'avais des chances de briser mon record. Mais à présent je n'avais plus la tête à ça. J'ai décidé d'aller jouer une partie d'échecs. Aux échecs aussi je suis très fort. Je me rends quelquefois à un club dont je suis membre, rue Saint-Denis. Les échecs ne valent pas les additions, c'est entendu. Ils n'ont pas le fini, l'absolu d'une opération mathématique. Même si on gagne — et je gagne toujours — on se dit que, théoriquement, on aurait pu faire mieux. En tout cas, ça passe le temps, ça occupe l'esprit.

Mes visites au club Saint-Denis, qui se bornent à trois ou quatre par année, provoquent toujours une petite sensation. Les meilleurs joueurs se disputent l'honneur de se mesurer à moi dans l'espoir d'améliorer leur jeu. En un sens, c'est flatteur, je ne le nie pas. Mais c'est assommant aussi: ce brouhaha, ce remue-ménage, ces chaises qu'on déplace pour le cercle des spectateurs qui veulent surveiller la partie, tout ça est désagréable au suprême. Quoi d'étonnant que j'y aille si peu souvent? Pendant des années, les directeurs du club m'ont supplié de prendre part au tournoi de championnat. Je leur ai répondu que ça ne m'intéressait pas, que je jouais pour mon plaisir, que je n'étais pas une bête à concours. Comme ils revenaient quand même à la charge, je leur ai si-

13

gnifié mon intention de démissionner si on ne me fichait pas la paix. Depuis, ils me laissent tranquille. Ils se contentent de m'envoyer par la poste un avis avant chaque tournoi. Je le jette au panier et je n'en entends plus parler.

En m'apercevant, Augustin Bruneau, le joueur numéro deux du club, s'est précipité vers moi pour faire une partie. Il m'a fallu vingt-huit coups pour le battre. Je n'étais pas en forme. Tout le long de la partie, je me demandais quel commensal je pourrais dénicher pour remplacer Paulo et je ne trouvais personne.

Une fois dans la rue, j'ai dû déambuler une bonne heure en me roulant toujours le même problème dans la tête. À la fin, j'avais les jambes cotonneuses. Je me suis dit que la nuit me porterait peut-être conseil et je suis rentré.

Le lendemain, je tenais mon idée: il y a une femme, Madame Bessière, qui travaille derrière moi dans le bureau. Je la connais depuis cinq ans. Elle est d'une incompétence abyssale. Elle s'occupe censément des commandes et de l'inventaire. Tout le long du jour, les expéditionnaires et l'acheteur lui apportent des factures et des comptes qu'elle inscrit dans un brouillard et note sur des fiches. Chaque soir, à quatre heures, elle doit établir la somme des ventes et des achats et me la remettre. Ce serait une besogne d'une simplicité enfantine pour tout autre que pour Madame Bessière. Mais Madame Bessière n'a pas la tête mathématique. Non seulement se trompe-t-elle dans les opérations les plus élémentaires, mais elle est incapable de transcrire les chiffres avec précision. Si bien que c'est moi qui fais au moins la moitié de son travail. Je ne m'en plains pas. Comme j'ai toujours terminé ma besogne vers deux heures trente, je devrais autrement me tourner les pouces jusqu'à la fermeture. Ce qui me dépasse, c'est que Madame Bessière ait pu décrocher un emploi comme le sien. M. de Repentigny, le patron, abhorre l'incurie, l'incompétence. C'est pour ça qu'il est constamment sur le dos de Paulo. Pourtant il laisse Madame Bessière relativement tranquille. Est-il vrai qu'il a eu autrefois un faible pour elle? C'est possible. Elle ne manquait pas d'attraits voilà cinq ans. Leurs relations soulevaient à l'époque des hypothèses et des commérages interminables parmi le personnel du bureau. Moi, je ne me suis jamais intéressé à la question. Qu'ils aient couché ensemble ou non, c'est du pareil au même. En tout cas, c'est fini maintenant. Là-dessus tout le monde est d'accord. Je ne blâme pas M. de Repentigny de l'avoir laissée tomber. Les traits de Madame Bessière se sont affaissés ces dernières années en même temps que son buste et sa croupe. Son mari, paraît-il, s'est mis à boire. Il a cessé de travailler. C'est elle qui doit pourvoir seule aux besoins de la famille — car ils ont des enfants, — je n'ai jamais su combien.

Ce matin-là, je tenais donc mon idée. Madame Bessière était l'employée de la *Plumbing Supply Company* qui pût le plus difficilement refuser de déjeuner avec moi. Je ne comptais pas sur sa reconnaissance, bien sûr, car je ne suis pas un naïf. Je ne m'imaginais pas non plus que mon invitation lui ferait plaisir. Sans me détester précisément, les gens d'ordinaire évitent ma compagnie. On prétend que j'ai la langue acide, que je suis pisse-vinaigre. C'est peut-être vrai. Je ne blâme donc personne de ne pas frayer avec moi. Au physique non plus, je n'ai rien d'attirant: faciès allongé, œil éteint, teint cireux, nez légèrement oblique. Quant à ma taille, elle est à peu près normale, bien que je sois un peu plus courbé que la plupart des hommes de mon âge (48 ans, 7 mois et 12 jours). Tout cela, je le sens bien, serait sans importance si je manifestais plus d'intérêt à ce que les gens me disent. Ils me pardonneraient sans doute mes brocards, mon nez crochu et mon air moche si je consentais à les écouter. Mais c'est plus fort que moi: à moins qu'on ne m'insulte ou qu'on ne me parle de comptabilité ou d'échecs, mon esprit se met à vagabonder. Quand je réponds, c'est alors au hasard, en me guidant uniquement sur l'intonation de mes interlocuteurs. Hélas, l'intonation n'est pas toujours un guide sûr. Les mots ont malheureusement un sens, flou si l'on veut, et qui n'a rien à voir avec la précision des chiffres, mais ils en ont un. C'est pourquoi il arrive trop souvent que mes réponses n'aient aucun rapport avec les propos qu'on me tient — ce qui met d'ordinaire les gens en rogne, je ne sais pourquoi. Moi, qu'on m'écoute ou non (sauf naturellement quand j'enguirlande mon interlocuteur), ça m'est tout à fait égal. En un sens, Paulo va me manquer. Avec lui je me sentais à l'aise. Je m'étais si bien familiarisé avec ses inflexions que je pouvais rêvasser en paix et pousser quand même des exclamations pertinentes en réponse à ses jérémiades. Comme il n'a pas un répertoire d'idées bien étendu, ça lui donnait la chance de se répéter sans avoir peur de m'ennuyer. Enfin, passons. Maintenant qu'il s'en va, je ne vais pas me mettre à penser à lui. D'ailleurs, quand il est entré au bureau ce matin-là, il ne m'a pas salué. J'ai fait mine de ne pas m'en apercevoir et je me suis dirigé vers le bureau de Madame Bessière. Elle était en train de se maquiller, ce qu'elle fait une vingtaine de fois par jour. Quand elle m'a vu approcher, elle a abaissé son petit miroir, elle a recapuchonné son bâton de rouge et elle m'a souri. On sent qu'elle se croit encore aguichante. Elle se livre à toutes sortes de manèges pour attirer l'attention.

— Vous savez que Paulo nous quitte ? lui ai-je dit.

Son poudrier lui est presque tombé des mains. Elle se passionne toujours pour les moindres nouvelles du bureau.

— Ne me dites pas ça, Monsieur Chayer ! Ne me dites pas que Paulo s'en va !... Ça a dû vous donner un drôle de coup, pas vrai ? Vous qui vous teniez toujours avec lui.

Je l'ai rassurée en disant que je me sentais malgré tout de taille à soutenir le coup, sauf à l'heure du déjeuner. Comme elle gardait le silence, je lui ai précisé que, à moins de prendre mes repas chez moi, je digérais mal lorsque je mangeais seul.

— Je vous comprends, Monsieur Chayer, dit-elle. J'en sais quelque chose. Ça tarabuste drôlement les parois de l'estomac de manger seul.

Je lui ai avoué que je n'avais pas comme elle analysé les causes scientifiques de mes dyspepsies, mais que les brûlements d'estomac étaient les brûlements d'estomac. Elle en a convenu sans difficulté. Je lui ai alors demandé si elle voulait bien prendre la place de Paulo et déjeuner dorénavant avec moi. Là-dessus elle a assumé un masque navré pour répondre :

— J'aimerais bien ça, Monsieur Chayer. Rien au monde ne me ferait plaisir comme ça. Mais, j'ai l'habitude de déjeuner avec Lucile Francœur, vous savez, la standardiste. J'aurais peur de lui faire de la peine.

J'ai donc répondu à Madame Bessière que je comprenais fort bien sa délicatesse et que j'allais simplement demander à M. de Repentigny une heure et demie de plus le midi afin d'aller déjeuner chez moi. Je ne sais si une heure et demie revêt une signification précise pour une calculatrice aussi nuageuse que Madame Bessière, mais j'ai cru constater que ses traits déjà étirés s'abaissaient encore d'un cran. Je me suis empressé d'ajouter que, naturellement, je n'aurais plus le temps de lui donner un coup de main comme par le passé : je ne m'imaginais pas, bien entendu, lui ai-je précisé, que mon aide lui fût indispensable ; je savais bien qu'elle saurait se tirer d'affaire toute seule. Je voulais simplement lui expliquer pourquoi mon travail requerrait désormais tout mon temps. Sans m'occuper de l'expression désemparée de Madame Bessière, j'ai regagné ma place, espérant que le coup avait porté. Je ne m'étais pas trompé. Environ une heure plus tard, Madame Bessière me rendait visite. Un petit sourire bandait ses lèvres:

— Savez-vous, j'ai repensé à ce que vous m'avez dit tout à l'heure. Je trouve ça dommage, moi, un homme qui mange tout seul, avec votre estomac délicat et tout. Je pense que je vais pouvoir m'arranger pour déjeuner avec vous.

Je l'ai remerciée de son bon cœur en déclarant que je comprenais bien la crise de conscience qu'elle avait dû traverser, prise qu'elle était entre la crainte de froisser Lucile Francœur et le désir de soulager ma dyspepsie. Je m'efforcerais d'être le moins encombrant possible: à table elle pourrait ou causer ou garder le silence comme bon lui semblerait. Elle m'a scruté d'un œil perplexe, puis elle est partie. Quant à moi, je me sentais soulagé. Ça ne m'aurait guère amusé de retourner manger chez moi. Quand je dîne seul le soir, je joue d'ordinaire une partie d'échecs mentale qui dure en moyenne cent quatorze minutes. Mais le déjeuner aurait été une autre histoire. La nécessité de rentrer au bureau à l'heure m'aurait, j'en suis sûr, coupé l'inspiration. D'ailleurs, je doute que M. de Repentigny m'eût accordé le temps voulu.

À midi, Madame Bessière m'attendait à la porte. Elle s'était maquillée encore plus outrageusement que d'habitude. Je dis: outrageusement, mais au fond je n'en sais rien: je ne l'ai jamais vue au naturel. Quand on a les traits fatigués comme elle, les artifices s'imposent. Les pattes d'oie qui lui courent sur les tempes seraient sans doute plus évidentes sans fond de teint et plus accentuées les parenthèses qui lui relient les ailes du nez aux coins de la bouche. J'ai quand même trouvé que le rouge violacé appliqué comme une paire de fesses sur sa lèvre supérieure et le mauve luisant de son fard à paupières dépassaient la mesure. Peu importe. Ce n'est pas pour son physique que j'ai invité Madame Bessière. Je dois dire pourtant qu'elle a de beaux yeux, très grands, un peu saillants, d'un brun mordoré dont l'iris bulbeux réduit la sclérotique à de petits triangles insignifiants.

Quand je me suis approché, elle m'a souri. J'ai essayé de faire de même, malgré mon manque d'habitude. Ensuite, nous sommes sortis. Je n'ai pas jugé bon de lui prendre le bras.

J'avais décidé de faire les choses en grand. Je pouvais bien me permettre, pour une fois, une extravagance: voilà si longtemps que Paulo me forçait à bouffer dans des gargotes infectes et à avaler au bureau des sandwiches à consistance de mastic. Je voulais aussi impressionner Madame Bessière. Elle ne doit pas rouler dans l'argent. La nourriture des gosses et la boisson du mari doivent lui ronger le plus clair de ses traitements. Pour l'épater un peu ou parce que j'avais grand-faim, je l'ai donc invitée au *Coq d'or*. Elle s'est un tantinet défendue pour la forme en disant qu'elle mangeait très peu, qu'elle ne s'y connaissait guère en mets délicats, qu'elle s'en voulait de m'occasionner pareille dépense, etc. De la minauderie cousue de fil blanc.

Une fois attablée, Madame Bessière a sorti son petit miroir pour inspecter son maquillage; elle a tapoté de la paume sa chevelure teinte d'un blond roussâtre, à la racine de laquelle rampait une pellicule poivre et sel.

— Savez-vous, Monsieur Chayer, votre invitation m'a surprise, surtout quand j'ai vu que vous insistiez tellement.

L'entretien commençait mal, mais je ne voulais pas rebuter mon interlocutrice dès le départ, risquer qu'elle ne revienne plus. J'avais décidé de l'écouter, quitte à me relâcher ensuite insensiblement une fois que l'habitude serait prise. Avais-je tellement «insisté»? Je ne m'en étais pas rendu compte. Madame Bessière a souri d'un sourire en biais qui a dérangé la symétrie fessière de sa lèvre supérieure.

— Vous avez insisté si... brutalement que j'en ai d'abord

été choquée. Vous m'avez en somme menacée de ne plus m'aider au bureau si je ne cédais pas à vos instances. Ce n'est pas cela qui m'a décidée, croyez-le bien. J'ai besoin de votre aide, c'est entendu, mais je préférerais perdre mon emploi plutôt que de me laisser forcer la main de cette façon... Ça ne vous blesse pas que je vous parle ainsi, franchement, comme une vieille amie?

Quand j'ai vu qu'elle parlait si longtemps, je me suis mis à manger ma soupe, car je déteste la soupe tiède. Je me suis quand même interrompu pour assurer à Madame Bessière que, au contraire, sa sincérité me touchait au plus haut point.

— Très bien, dit-elle d'un air satisfait. Je savais que les réalités psychologiques ne vous faisaient pas peur.

Elle s'est arrêtée quelques instants comme si elle attendait une réponse. Tout en continuant à avaler ma soupe, qui était bonne, j'ai fait oui de la tête. Alors elle a ajouté:

— Si j'ai finalement accepté, c'est que j'ai compris que vous étiez malheureux, que le prochain départ de Paulo vous avait profondément bouleversé, et que vous aviez besoin de quelqu'un à qui vous confier.

J'ai convenu qu'elle avait raison: la preuve c'est qu'il m'avait fallu vingt-huit coups la veille pour battre Augustin Bruneau aux échecs. Comme Madame Bessière ne semblait pas saisir — sans doute à cause du chiffre contenu dans ma réponse — je lui ai expliqué que, en moyenne, je disposais de Bruneau en vingt-deux coups virgule soixante-treize. Je l'avais noté dans mon calepin. Madame Bessière hochait la tête d'un air stupide. J'ai cru bon de souligner que, entre vingt-huit coups et vingt-deux coups virgule soixante-treize, il y avait une différence de cinq coups virgule vingt-sept, ce qui n'était pas négligeable. J'aurais dû ménager ma salive. Mes explications sont tombées, comme on dit, en terre stérile. Il ne faut jamais parler de chiffres à Madame Bessière.

Sa réponse n'avait aucun rapport avec ce que je venais de dire :

— Pauvre vous, je vous comprends, allez! Chacun s'évade comme il peut de la réalité. J'en sais quelque chose...

En même temps, elle m'a posé la main sur l'avant-bras d'un air ému. J'ai même cru remarquer que ses yeux s'embuaient. Paulo m'avait emmerdé la veille par une scène sentimentale — je n'allais pas laisser Madame Bessière pleurnicher à son tour. Je lui ai donc demandé quelle place tenait dans sa vie le jeu d'échecs. La violence de sa réaction m'a surpris : si je voulais que nous restions bons amis, a-t-elle déclaré, je devais lui promettre de ne pas lui parler de ce jeu infernal qui était en grande partie responsable de ses ennuis de ménage. J'ai été tenté de la questionner, car c'était là une propriété du jeu d'échecs qui m'avait jusque-là échappé. Mais je n'en ai pas eu le loisir. Instantanément calmée, Madame Bessière a ajouté :

— Je ne joue même plus aux cartes, Monsieur Chayer. J'oubliais toujours lesquelles étaient tombées et ça enrageait mon mari.

J'ai cru bon de la féliciter d'avoir renoncé à ce jeu stupide, quasi uniquement basé sur la chance. Moi, il me fallait quelque chose de plus solide. Je ne sais quel double sens Madame Bessière a perçu dans ma réponse. En tout cas elle s'est exclamée :

— Allez! je vous comprends, Monsieur Chayer. Ce n'est pas gai de vivre seul comme vous le faites, de n'avoir personne à qui vous confier. Mais permettez-moi de vous le dire en toute sincérité : ce ne sont pas les échecs qui vont vous sauver. Ce qu'il vous faut, c'est des contacts humains, des amis compréhensifs, de l'affection : c'est ça qu'il vous faut, Monsieur Chayer. C'est seulement comme ça que vous allez vous débarrasser de votre sentiment de solitude, de votre refoulement.

Elle m'a posé sur l'avant-bras sa main fluette aux ongles pointus. Elle y a même exercé une légère pression. En même temps, elle m'a glissé un sourire en biais et m'a dévisagé de ses grands yeux mordorés. Je me suis dit qu'elle ressemblait à une grue, et cette observation a remué en moi de très anciens souvenirs. J'ai repensé à Gilberte que je n'ai pourtant pas vue depuis vingt-huit ans. Elle aussi avait l'habitude de me poser la main sur l'avant-bras et de me sourire avec coquetterie, surtout quand elle voulait me soutirer de l'argent. C'était sans doute une poule ; je n'ai jamais pu tirer la chose au clair, car à ce temps-là j'étais encore naïf. Au point que j'ai songé à l'époque à lui demander sa main. Mais, naturellement, je tenais d'abord à coucher avec elle. Autrement, comment peut-on savoir si ça va gazer ? Gilberte n'a jamais consenti à tenter l'expérience. Quand elle a vu que je devenais trop pressant et que je refusais de dépenser tous mes appointements dans des boîtes de nuit où elle dansait plus souvent avec d'autres qu'avec moi, elle m'a plaqué sans avertissement. Ça m'a donné un drôle de coup. J'ai couru quelque temps les lupanars où j'ai finalement attrapé une blennorragie. Ce n'était pas gai. Mais revenons à Madame Bessière qui, le sourire en biais, peut-être provocant, me parlait de solitude et de refoulement. Quand on a 48 ans et 7 mois et une figure comme la mienne, c'est une occasion à ne pas manquer. D'autant moins que ce n'est pas par principe que je fréquente les lupanars. Ce serait plutôt par inertie. Ou par amour du risque. Depuis lors, je pénètre toujours dans ces établissements avec une certaine anxiété. Je devrais peut-être m'en abstenir. Qui ne risque rien n'a rien, je le sais. Mais, mathématiquement, le jeu n'en vaut pas la chandelle : en effet, on lâche de l'eau beaucoup plus souvent qu'on ne peut faire l'amour. C'est, comme dirait Paulo, un fait reconnu. J'avais même calculé à l'époque dans quelle proportion. La variabilité des données m'empêchait naturellement de prêter à mes résultats une valeur absolue. En tout cas, pour une période de trente jours, j'ai obtenu une proportion de 122,37 à 1, ce qui n'est pas encourageant. Et il y a de cela, ne l'oublions pas, un bon quart de siècle. Depuis lors, l'écart n'a pu que s'accentuer. Mais trêve de spéculation. Il ne s'agit pas de cela pour l'instant. Il s'agit toujours de Madame Bessière qui, la main sur mon avant-bras, me parlait de solitude et de refoulement. Comme je l'ai indiqué, ce n'est plus une jeunesse. Ces dernières années, bien que corsetées et soutien-gorgées à bloc, ses formes accusent un affaissement déplorable. Ce que ça peut donner à poil, Dieu seul le sait. C'est ce que je me disais sans pour autant abandonner la partie car j'ai toujours été d'une nature curieuse. Toutefois, je ne voulais pas brusquer les choses, m'exposer à un refus, même temporaire. Quand les femmes commencent par dire non, ça veut presque toujours dire oui, je ne l'ignore pas. Ça entraîne quand même des délais ennuyeux. Il s'agit donc de ne pas leur donner l'occasion de dire non... Ces réflexions banales ajoutées au fait que mon canard à l'orange allait se refroidissant m'ont incité à prendre un biais. Le prétexte était tout trouvé: comme Madame Bessière possède un mari ivrogne qui, paraît-il, la bat avec une certaine régularité, je lui ai dit que, naturellement, je ne possédais pas comme elle un conjoint passionné et compréhensif pour charmer ma solitude; que, par conséquent, — elle l'avait deviné — je traversais souvent des périodes de cruel refoulement psychologique.

Madame Bessière a retiré instantanément sa main et m'a lancé un regard perplexe. J'en ai profité pour prendre une bouchée de mon canard à l'orange. Il était bon. Madame Bessière, elle, ne mangeait pas. Je me suis enquis d'un ton de sollicitude si ce volatile l'indifférait. Je pouvais rappeler le garçon et commander autre chose.

— Allez, Monsieur Chayer, s'est-elle exclamée, vous ne

savez pas de quoi vous parlez! La vie conjugale n'est pas toujours un lit de roses. C'est moi qui vous le dis. Vous êtes bien chanceux, allez, de vivre seul.

Je lui ai fait remarquer que, sauf erreur de ma part, ces dernières paroles semblaient contredire les précédentes. Il pouvait certes se glisser de temps en temps au sein d'un ménage de légers malentendus. Mais n'étaient-ils pas richement compensés par les jouissances qui devaient résulter d'une intimité de tous les jours, libre de contrainte comme de refoulement?

Là-dessus, Madame Bessière a poussé un profond soupir; elle a tiré son mouchoir de son sac et elle s'est mouchée. Quand j'ai vu qu'elle ne disait rien, je me suis remis à manger. Elle a replacé son mouchoir dans son sac, a pris sa fourchette et son couteau, a découpé quelques tranches de canard. Mais elle ne faisait que chipoter. Je me suis dit que je n'avais sans doute pas abordé le problème de la bonne façon et qu'il me faudrait revenir à l'attaque une autre fois. Je m'étais trompé. Madame Bessière a soudain déposé ses ustensiles dans son assiette pour déclarer que si elle gardait le silence c'est qu'elle avait trop de choses à dire. Elle ne savait par où commencer. D'ailleurs, parler de choses intimes dans un endroit public lui répugnait:

— C'est peut-être tant mieux pour vous: je ne ferais que vous ennuyer.

Entre deux bouchées de canard, j'ai protesté: Madame Bessière ne savait-elle pas que je la tenais en haute estime et que tout ce qui la concernait m'inspirait un intérêt intense? Pourquoi s'imaginait-elle, par exemple, que je l'aidais quotidiennement dans son travail? Par altruisme? M'avait-elle jamais vu aider les autres de cette façon? — Je devais avoir l'air sincère, car la figure fatiguée de Madame Bessière s'est illuminée. Avec toutes les précautions oratoires voulues, j'en ai profité pour l'inviter chez moi, où nous pourrions causer

24

en toute tranquillité, échanger des confidences, nous mieux connaître. Elle a accepté sans trop de difficulté, en me prévenant toutefois qu'il n'entrait pas dans ses habitudes de rendre visite ainsi à des célibataires. Mais nous étions, n'est-ce pas, de si vieux amis que son geste ne pourrait en aucune manière passer pour déplacé. Je lui ai assuré que je la respectais trop pour que pareille pensée effleurât seulement mon esprit. Elle a paru satisfaite et nous nous sommes levés.

Il était deux heures moins quatorze. Je me suis dit que M. de Repentigny, qui est un maniaque de la ponctualité, allait râler. Il n'a pas cependant à se plaindre de moi sur ce chapitre. En vingt et un ans, je ne me souviens pas d'être arrivé en retard une seule fois. Je porte toujours trois montres sur moi, une à chaque poignet et l'autre dans mon gousset. Je les règle quotidiennement sur l'observatoire du Dominion. Je possède également trois réveils que je fais sonner le matin à cinq minutes d'intervalle. Madame Bessière, elle, n'a qu'une montre, très vieille et constamment détraquée. Aussi a-t-elle poussé un petit cri de consternation quand elle a su que nous nous étions tellement attardés.

— Qu'est-ce que nous allons faire? m'a-t-elle demandé, une lueur de panique dans les yeux. À mon dernier retard, Monsieur de Repentigny m'a avertie que, si ça se reproduisait, il me couperait mon salaire de cinq dollars. Qu'est-ce que je vais faire?

Je lui ai dit de ne pas s'énerver, que je me chargeais du sieur de Repentigny avec qui j'avais d'ailleurs un petit compte à régler. La dernière fois que j'ai commis une erreur — à cause de ces satanés sandwiches — n'avait-il pas eu le culot de me reprocher de ne jamais me servir de l'additionneuse? Ce sont là des insultes qui ne s'oublient pas.

— Mais c'est à cause de moi que nous sommes en retard, a dit Madame Bessière, j'ai trop parlé. C'est de ma faute.

Je lui ai assuré qu'il n'en était rien, que même si le temps avait passé très vite grâce au charme de sa conversation, je savais très bien que nous serions en retard, car même sans montre, je pouvais toujours dire à dix minutes près quelle heure il était.

Ces paroles n'ont pas réussi à la calmer. Elle m'a forcé à faire le trajet presque au pas de course. En arrivant, j'avais les aisselles poisseuses. J'étais furieux, car je déteste suer. J'ai quand même constaté avec plaisir que Madame Bessière haletait plus fort que moi. Quoique je ne fasse jamais d'exercice, le cœur et les poumons sont encore solides.

— Savez-vous ce que je vais faire, Monsieur Chayer? Je vais enlever mon manteau ici dans le vestibule et je vais aller dans la salle de toilette. Vous direz à une expéditionnaire de venir m'y porter un paquet de factures et je rentrerai ensuite au bureau comme si de rien n'était.

M. de Repentigny, j'en étais sûr, s'était déjà aperçu de notre absence, car il fait sa ronde du bureau à neuf heures et à une heure précises comme un garde-chiourme. J'ai quand même affirmé que c'était là une ruse de première force qui mystifierait certainement le patron. Madame Bessière m'a souri, m'a posé affectueusement la main sur le bras en esquissant une petite grimace complice et je me suis dirigé vers la porte. Là je me suis arrêté pour allumer mon cigare. Cela ne me tentait guère. D'habitude je ne fume que le soir chez moi en jouant mes parties d'échecs mentales, en faisant des additions ou de la géométrie analytique. Mais je savais que M. de Repentigny, qui ne fait pas usage du tabac, abhorre la fumée de pipe et de cigare. Au bureau, il tolère la cigarette parce qu'il ne peut pas faire autrement; mais les fumeurs sérieux n'allument que durant son absence ou bien vont tirer quelques bouffées à la sauvette dans les vécés. J'ai donc enflammé posément mon cigare, j'ai ouvert la porte et je me suis dirigé vers mon bureau. M. de Repentigny, le binocle tremblotant, ses mains osseuses nouées derrière son dos, arpentait la pièce de long en large. Il avait les lèvres arquées, les narines frémissantes. Je me suis dit que ça allait barder. Tous les regards des employés convergeaient vers moi. Le patron m'a laissé enlever mon paletot, le suspendre à la patère et m'installer à mon bureau avant de me lancer de sa voix cassante de sauterelle:

— J'espère, Monsieur Chayer, que vous avez eu le temps de bien manger!

Il s'était planté à côté de moi, grimaçant et hargneux, les jambes écartées et les mains toujours nouées derrière le dos. Je l'ai remercié en disant que j'avais en effet pris un excellent déjeuner: martini comme apéritif, soupe à l'oignon, canard à l'orange arrosé d'un bordeaux blanc, mille-feuilles aux amandes et café-filtre. J'ai ensuite exprimé le regret qu'il n'eût pas partagé avec moi cette repue exceptionnelle que, eu égard à la médiocrité de mes appointements, je ne pouvais me permettre qu'une fois tous les six mois. Tout en parlant, j'ai constaté avec plaisir que M. de Repentigny donnait des signes croissants d'exaspération: d'autant plus qu'un groupe d'employés, Paulo en tête, s'étaient peu à peu approchés. Ils commençaient à rigoler en se poussant du coude.

— Vous vous pensez sans doute spirituel, grinça le patron, mais moi je trouve vos plaisanteries du dernier mauvais goût.

J'ai essayé de donner à mes traits une expression de surprise. Des plaisanteries? M. de Repentigny avait certainement mal interprété mes paroles. Un pauvre prolétaire comme moi ne pouvait-il songer à s'asseoir à la même table qu'un président de compagnie sans passer pour un plaisantin? Dans ce cas, je m'excusais. J'avais cru jusqu'alors que nous vivions en démocratie, mais...

Je n'ai pas eu le temps de terminer mon argumentation:

Paulo, qui s'était avancé à deux pas de M. de Repentigny, a soudain lancé de toute la force de ses poumons :

— À bas les capitalistes ! À bas les exploiteurs !

Alors un brouhaha s'est produit parmi les employés : certains se tordaient de rire en s'assénant de grandes tapes sur les cuisses ; d'autres gueulaient très fort sans écouter leurs interlocuteurs ; quelques-uns, l'air effrayé, regagnaient leurs bureaux en vitesse.

M. de Repentigny avait le teint livide, l'œil désorbité ; sa bouche s'ouvrait et se refermait sans émettre un son. D'un index mal assuré, il tiraillait son faux-col. J'ai cru un moment qu'il allait perdre connaissance. J'ai été déçu. Il a fini par se ressaisir pour hurler à Paulo :

— Dehors ! Je ne veux pas vous voir un instant de plus ici ! Voilà trop longtemps que je vous endure ! À la porte, ou j'appelle la police et je vous fais coffrer.

Paulo a émis un ricanement et il est parti en marmottant que rien ne lui faisait plus plaisir que de quitter cette boîte infecte, dirigée par un exploiteur éhonté. Moi, je me suis rassis et j'ai commencé à coucher mes écritures dans le grand livre. Je m'y suis rapidement absorbé. Il n'y a rien comme les chiffres pour remettre un homme d'aplomb. Je ne me suis aperçu ni du départ de M. de Repentigny, ni de l'entrée de Madame Bessière. J'ai fini mon travail, un peu plus tard que d'habitude, fatalement, et ensuite je suis allé donner un coup de main à ma commensale qui, l'air bouleversé, m'a glissé à l'oreille que M. de Repentigny savait tout.

— Il sait que nous sommes allés déjeuner ensemble. C'est pour ça qu'il était si furieux... je vous expliquerai tout ça ce soir.

Elle n'a pu en dire davantage : l'acheteur est arrivé avec sa pile de factures et nous avons dû nous mettre à la besogne. Je dis : nous ; en fait, moi seul accomplissais un travail efficace. Madame Bessière était trop nerveuse ; elle déplaçait les fiches au hasard, passait les écritures dans les mauvaises colonnes, accumulait les erreurs même en se servant de la calculatrice. Si bien qu'à la fin, je lui ai dit de se reposer, que je finirais seul. Je pense que je n'ai jamais travaillé si bien, si rapidement. À cinq heures tapant, tout était à jour. J'étais content de moi. Comme Madame Bessière devait passer au cabinet de toilette pour retoucher son maquillage, j'ai mis mon paletot et mon chapeau et je suis sorti.

Je comptais rentrer chez moi sans tarder. Il me fallait préparer mon dîner, faire la vaisselle, nettoyer un peu mon appartement et, surtout, changer ma literie. C'est une besogne que j'aime bien, pourvu que rien ne me presse. D'habitude, je consacre la matinée du samedi aux soins du ménage. Ça me prend en moyenne deux heures et trente-quatre minutes, sauf à la fin du mois quand je fais le grand nettoyage. Je voulais que tout fût d'un ordre impeccable pour la visite de Madame Bessière. J'espérais bien, en effet, que ma garçonnière qui, sans être de la dernière nouveauté, ne manque ni de confort, ni d'une sobre élégance, créerait chez mon invitée une bonne impression et qu'elle y reviendrait régulièrement une fois par semaine...

J'avais, hélas, compté sans Paulo qui, son bonnet de poil rabattu sur les sourcils, les mains enfoncées dans les poches de son paletot élimé, m'attendait à la sortie en faisant les cent pas. Si je l'avais aperçu plus tôt, je me serais esquivé par la porte de secours. Mais je n'en ai pas eu le temps. Avec un sourire à la fois gêné et triomphant qui découvrait ses longues incisives cariées, il me tendait la main. Je l'ai prise et je l'ai serrée. Il n'y avait pas moyen de faire autrement.

— Puis, comme ça, Jérôme, m'a-t-il dit de sa voix traînante, quand est-ce qu'on y va?

Sa prononciation était encore plus pâteuse que d'ordinaire

et son haleine sentait l'alcool. Je me suis dit que j'aurais du mal à me débarrasser de lui.

— Quand est-ce qu'on y va, Jérôme?

Naturellement, j'ignorais de quoi il parlait. Contre mon habitude, j'en ai ressenti de l'agacement: je lui ai répondu que je ne savais pas quand il y allait, lui, mais que moi j'avais l'intention de rentrer chez moi tout de suite. Il a alors éclaté d'un long rire idiot et m'a asséné sur les omoplates une considérable claque.

— Sacré Jérôme, va! Toujours pince-sans-rire! Je m'en plains pas, remarque. C'est grâce à ça que t'as pu en boucher un joli coin au cochon de de Repentigny... Il va en râler pour des semaines, pas de doute. Puis moi, as-tu entendu ce que je lui ai dit? «À bas les capitalistes! À bas les exploiteurs!» que je lui ai dit, au cochon. T'as entendu?

Je lui ai répondu que je n'étais pas sourd et que, en dépit de l'état d'ébriété où il se trouvait, il se rappelait avec précision les paroles qu'il avait adressées à M. de Repentigny. Paulo m'a secoué d'une autre claque dans le dos et il m'a dit en m'aspergeant la figure de postillons:

— C'est vrai que j'ai bu quelques petits verres, pour fêter ça, comprends-tu? J'ai bu quelques petits verres, puis je t'en offre un autre. Je suis fauché comme un chômeur, ma femme est malade, mais je t'offre quand même un petit verre pour fêter ça. Qu'est-ce que t'en dis, Jérôme?

Tout en m'essuyant la figure, je me suis dit qu'il me serait sans doute plus facile de le plaquer au bar que dans la rue et j'ai accepté.

La buvette où nous sommes entrés était infecte: une espèce de caveau obscur aux murs badigeonnés d'une chaux pisseuse cicatrisée de graffiti obscènes et sur laquelle les crachats des chiqueurs ont plaqué des traînées brunâtres. On peut se fier à Paulo: il possède un flair exceptionnel pour dénicher les endroits dégoûtants. Avant de m'asseoir, j'ai dû à l'aide de quatre kleenex — j'en ai toujours un petit paquet dans ma poche — éponger le fond de ma chaise où s'étalait une mare de bière. Paulo, lui, s'est installé en face de moi d'un air béat et il a posé les coudes sur le guéridon. Un garçon s'est approché et Paulo lui a dit:

— Vous voyez, c'est encore moi... je vous ai dit que j'allais revenir et je suis revenu. Je vous ai même amené un nouveau client: Monsieur Jérôme Chayer; c'est mon ami.

Le garçon m'a envoyé un petit coup de tête auquel je n'ai pas répondu.

— Apportez-nous deux... non, attendez... quatre petits verres de gin, a ajouté Paulo. Ce n'est pas tous les jours fête, pas vrai?

— *Right*, a dit le garçon qui est revenu tout de suite avec les consommations.

Paulo s'est alors tourné vers moi et il a déclaré en fronçant ses sourcils broussailleux:

— À cette heure, parlons de choses sérieuses.

Il a fait une pause pour sabler son premier verre. J'ai trempé les lèvres dans le mien: j'attendais que Paulo détourne les yeux pour le vider sur le plancher. Je ne bois jamais beaucoup: ça me donne la migraine. De plus, je tenais à rester lucide pour la visite de Madame Bessière.

— Parlons de choses sérieuses! Faut faire des plans pour rosser ce cochon de de Repentigny. T'es bien d'accord, Jérôme? Il a avalé une autre lampée et je lui ai répondu que j'accueillais son projet avec la plus vive sympathie, pourvu naturellement que la râclée s'effectuât en catimini, sans nous attirer d'ennuis de la part des flics. Un type qui, comme de Repentigny, avait eu le culot de me conseiller de me servir de la calculatrice méritait certes une tripotée exemplaire.

À ces mots, la figure léthargique de Paulo s'est illuminée de plaisir. Il s'est penché au-dessus de la table. J'ai détourné un peu la tête pour ne recevoir les postillons que d'un côté et j'ai sorti un autre kleenex.

— J'ai mieux que ça, a dit Paulo. Une râclée, c'est pas suffisant. Les cochons de capitalistes, moi, j'ai pas de pitié pour ça. Coupons-lui les couilles.

Tout en m'essuyant, je lui ai répondu que sa dernière proposition offrait sur la précédente un progrès sensible. Il devrait toutefois, lui ai-je précisé, fournir lui-même l'instrument idoine. Je venais, quant à moi, de faire aiguiser mon rasoir et je ne voulais pas risquer de l'émousser par une opération semblable. De plus, comme il fallait dans une entreprise de ce genre, prévoir toutes les éventualités, que ferions-nous si nous découvrions que M. de Repentigny ne possédait pas les appendices en question? Ce n'était là, je le voulais bien, qu'une hypothèse, mais elle n'était pas complètement gratuite, attendu que le patron n'avait pas d'enfants.

Là-dessus, Paulo s'est fripé le sinciput en agitant son crâne d'oiseau avec un air d'intense concentration. Je me suis dit qu'il était encore plus paf que je ne l'avais cru.

— T'es très fort, Jérôme, a-t-il bafouillé, très, très fort. Moi, j'aurais jamais pensé à ça. Dans ce cas-là, faudrait peut-être bien pas trop se presser, faire une petite enquête et en reparler quand nous serons tous deux rendus à la *Royal Salvage Company*.

Je n'ai pas jugé bon de le détromper tout de suite: car je sais qu'il est inutile de contrarier un ivrogne. J'ai consulté mes deux montres-bracelets et j'ai constaté que seize minutes s'étaient écoulées. J'ai dit à Paulo que je devais aller me soulager: je me suis levé et, quand j'ai vu qu'il tournait la tête pour appeler le garçon, je suis sorti.

Il m'a fallu dix-huit minutes de plus que prévu pour faire mes emplettes (deux bouteilles de vin, pâté de foie gras, fromage, bœuf salé, flocons de patates), changer le lit et nettoyer l'appartement. À la Commission des liqueurs, il y avait devant moi un zigue à moitié ivre qui ne savait ce qu'il voulait acheter. Il branlait la tête d'un air idiot en demandant interminablement le prix des boissons. Je lui ai fait remarquer que les listes affichées sur les murs avaient précisément pour but de fournir ce genre de renseignement: pourquoi ne les consultait-il pas au lieu de faire perdre le temps des autres clients? Il m'a répondu de me mêler de mes affaires. Je l'ai repoussé d'un coup d'épaule et j'ai fait mes achats. Le type jurait comme un démon, menaçait de me casser la gueule. Je l'ai averti que s'il levait la main sur moi, je lui fracasserais une bouteille de vin sur le crâne. Cette réponse a paru le calmer et je suis sorti. C'est surtout ça qui m'a retardé. J'étais en rogne. Une fois que je me suis tracé un programme, j'aime bien le suivre à la lettre. Pour rattraper le temps perdu, au lieu de me cuisiner un repas chaud, j'ai avalé une couple de sandwiches, j'ai préparé les canapés, puis j'ai attendu.

Naturellement, Madame Bessière était en retard. Si nous nous voyons régulièrement, il va falloir que je lui fasse passer cette habitude, car le poireautage n'est pas mon fort. J'ai essayé entre temps de faire des additions, mais j'étais d'une lenteur révoltante: vingt-huit pour cent au-dessous de ma moyenne. J'ai dû me rabattre sur mon cahier de vocabulaire. Il a une longue histoire, ce cahier. Je l'ai commencé voilà trente-deux ans et quatre mois, à une époque où je m'imaginais que les mots pouvaient avoir un sens précis. J'inscrivais donc dans ce cahier tous les termes que j'ignorais, suivis de leurs définitions; également ceux dont la signification était floue dans mon esprit. J'ai dit: «définition», faute d'un autre vocable. Ce que je faisais, je le sais maintenant, c'était de calligraphier à gauche dans mon cahier une colonne de mots inconnus ou obscurs, à chacun desquels correspondait dans la partie dextre un certain nombre d'autres mots censément connus et clairs (pour moi) et dont la fonction, censément aussi, consistait à expliquer les premiers. Mais durant les années qui suivirent (j'étais, on le voit, rien moins que précoce), je me suis rendu compte que les uns et les autres (mots) étaient d'une égale (ou quasi égale) insignifiance. Non seulement pour moi — ce que j'aurais pu attribuer à la faiblesse de mon entendement — mais pour tout le monde. On n'a qu'à écouter parler les gens, à lire des journaux ou des livres pour être fixé là-dessus.

À la suite de cette constatation, en bonne logique, j'aurais dû, je le sais, jeter mon cahier aux orties. Mais le pli était pris : je l'ai gardé. C'est une faiblesse que je me reproche souvent — si toutefois je me reproche jamais rien. En tout cas, je l'ai gardé, ce cahier. Par inertie. Par bêtise. Qui plus est, j'ai continué à le parcourir sporadiquement ; même à y ajouter de temps en temps de nouveaux mots (à gauche) suivis (à droite) d'autres signes graphiques plus nombreux, destinés en théorie à expliciter les précédents. Si bien que ma liste couvre aujourd'hui 119 pages et 6 lignes. Il est vrai que je ne la «consulte» ou ne l'«enrichit» plus qu'à mes heures d'abrutissement ou de «dérangement». Elle accomplit alors une fonction purgative ou sédative. Ou même, à l'occasion, tonique. D'ailleurs, après tout, il n'est peut-être pas plus idiot de tripoter un cahier de vocabulaire que de se tourner les pouces, de se gratter les aisselles ou de s'arracher les poils du nez. Tout est relatif. De plus, il me sert, ce cahier, à jauger mon degré d'abrutissement ou de «dérangement», ce qui est instructif. Mais passons.

Quand Madame Bessière est arrivée — à dix heures moins vingt-deux — elle était dans un état d'agitation extrême. Elle n'a même pas songé à s'excuser.

— Si vous saviez, Monsieur Chayer, s'est-elle exclamée, j'ai bien failli ne pas pouvoir venir ! Athanase — c'est mon mari — était dans un état épouvantable... rien que d'y penser, ça me donne le frisson.

Voulait-elle piquer ma curiosité, se faire questionner? Je n'ai rien dit. Naturellement, j'espérais qu'Athanase fût au plus mal, car c'était à cause de lui que j'avais dû poireauter si longtemps. Mais mes questions eussent été impuissantes à empirer son état, alors à quoi bon en poser? J'avais autre chose en tête. En débarrassant Madame Bessière de son manteau, je lui ai serré les épaules et je suis resté quelques instants collé derrière elle, immobile. Je sentais sa croupe à travers le tissu. Je me suis rendu compte qu'elle ne portait pas de gaine. Ça m'a émoustillé. Elle n'a pas paru s'en apercevoir et elle s'est mise à me raconter en détail les «tribulations de sa soirée». Je me suis dit que ça allait prendre un certain temps, mais qu'il valait mieux patienter. Je lui ai indiqué un siège, j'ai ouvert une bouteille de vin, j'ai rempli deux coupes, je me suis installé dans un fauteuil, et j'ai pris un air attentif. En rentrant, Madame Bessière avait, paraît-il, découvert le triste Athanase ivre mort, étendu de tout son long sur le plancher de la cuisine, un tesson de bouteille fiché dans le poignet gauche, et saignant comme un taureau. Avait-il voulu se suicider? Madame Bessière ne le croyait pas. Athanase était trop douillet pour s'infliger la moindre blessure. De plus, ses principes religieux lui auraient interdit d'attenter à ses jours. Athanase était en effet un catholique dévot qui ne manquait jamais d'aller à confesse après chaque soûlerie. Non, il ne pouvait s'agir que d'un accident.

— Demain, j'en suis sûre, a continué Madame Bessière, il sera bourrelé de remords; il va me prodiguer toutes sortes de marques d'affection: il va nettoyer la maison, s'occuper des enfants, faire le marché. Quand je rentrerai, le dîner sera prêt; la table, mise. C'est vraiment une âme très sensible. Il a peut-être ses défauts, mais pour une âme sensible, c'est une âme sensible.

Ai-je tiqué en entendant ces mots? Je ne le crois pas. J'éprouve de la difficulté à rendre mon visage expressif, mais quand il s'agit de rester impassible, je ne le cède à personne. En tout cas, Madame Bessière a cru bon d'ajouter :

— Si vous connaissiez Athanase comme moi, je suis sûre que vous partageriez mon avis.

Je ne savais pas où elle voulait en venir, mais je me suis empressé d'abonder dans son sens : la description qu'elle venait de me donner m'avait, lui ai-je assuré, inspiré à l'égard d'Athanase la plus profonde admiration. Ensuite, j'ai vidé mon verre et je m'en suis versé un second. Madame Bessière n'avait pas touché au sien. L'air perplexe, ses grands yeux fixés sur moi, elle se mordillait la bouche. Son rouge, d'ordinaire si impeccablement appliqué, déteignait hors des lèvres. Ça lui donnait un aspect moins catin, plus déshabillé que d'habitude, et ça m'a de nouveau émoustillé. J'en ai éprouvé de l'agacement, car toute tension me fatigue. Heureusement, Madame Bessière s'est remise à parler et ça s'est calmé.

Selon elle, je n'avais pas bien saisi le sens de ses confidences ; je m'étais laissé emporter par ma nature sentimentale. La sensibilité d'Athanase ne l'empêchait pas, hélas, quand il était saoul, de se livrer à des actes de brutalité.

— Il m'a souvent battue, Monsieur Chayer. Si ce n'était pas si gênant, je pourrais vous en montrer des marques.

Là-dessus, Madame Bessière a baissé les yeux et, saisissant son verre de vin, elle l'a vidé d'un trait. Je me suis excusé d'avoir porté sur Athanase un jugement trop hâtif et j'ai exprimé l'opinion que, s'il m'était loisible d'examiner lesdites «marques», je pourrais ensuite jauger leur auteur avec plus d'objectivité. Madame Bessière s'est contentée de sourire d'un air absent. Son silence m'a paru de bon augure et je me préparais à aller m'asseoir près d'elle, sur le sofa, quand elle a soudain pris un masque tragique pour m'avertir qu'il y avait des choses plus graves, plus «fondamentales» que les contusions. Elle a fait une pause pour bien souligner l'importance de cette déclaration. Je n'ignorais sans doute pas, a-t-elle continué, que l'alcoolisme chronique finissait à la longue par diminuer les «forces vitales» d'un homme. Certes, Athanase ne manquait pas de bonne volonté, mais, comme on dit, «l'esprit est prompt, mais la chair est faible». Madame Bessière s'est arrêtée pour pousser un soupir. Elle faisait lentement tourner sa coupe entre ses mains fluettes. Tout en lui assurant que je n'ignorais pas, du moins en théorie, les fléaux de l'alcoolisme, je me suis approché d'elle et lui ai serré l'épaule en un geste de compréhension. Elle n'a pas fait mine de s'en apercevoir. Je lui ai enlevé sa coupe, que j'ai déposée sur le guéridon. En ramenant ma main, je l'ai comme par hasard laissée retomber sur son genou. Madame Bessière portait une robe de faille dont le tissu glissait facilement sur le nylon de ses bas. J'ai imprimé à ma paume un lent mouvement de va-et-vient auquel Madame Bessière n'a pas d'abord porté attention. J'ai cru m'apercevoir toutefois que sa respiration s'accélérait. C'est alors seulement qu'elle a d'un geste délicat mais ferme enlevé ma main. Elle a souri un peu d'un air rêveur, puis elle a dit sans me regarder:

— Ne vous imaginez pas, Monsieur Chayer, que je vous ai parlé de ces choses-là parce que j'y attache personnellement une grande importance. Je voulais simplement vous faire comprendre dans quelle situation humiliante mon pauvre Athanase se trouve placé...

J'ai remercié Madame Bessière de s'être donné tant de mal pour m'expliquer la psychologie intime de son mari. Quant à elle, je savais bien que de pareils détails la laissaient parfaitement indifférente. Là-dessus, Madame Bessière s'est levée et s'est déclarée ravie que j'eusse si bien su la juger. Bien peu d'hommes, elle le savait par expérience, se fussent montrés si compréhensifs. N'était-il pas dommage qu'il dût si souvent se mêler aux relations entre personnes de sexe

37

différent des considérations étrangères à la pure amitié? Bien sûr, elle ne disait pas cela pour moi. L'absolu désintéressement avec lequel je l'aidais au bureau depuis tant d'années me mettait à l'abri de tout soupçon.

J'ai trouvé qu'elle poussait la mauvaise foi un peu loin. Ayant depuis longtemps, par la force des circonstances, borné mes activités amoureuses aux maisons de passe, j'ai perdu l'habitude de ces escarmouches préparatoires dont le piquant m'échappe. Je me suis dit que, si Madame Bessière se livrait souvent avec Athanase à de telles folichonneries, il n'avait pas tort de lui administrer des corrections. Mais mon interlocutrice poursuivait de toute évidence une autre chaîne de pensées. Après avoir fouillé dans son sac à main, elle en a retiré un petit miroir, elle s'est regardée et s'est exclamée:

— Quelle horreur! On jurerait que je me suis fait embrasser!

À l'aide d'un mouchoir, elle effaçait les traces de rouge qui s'étalaient irrégulièrement autour de sa bouche. Elle a ensuite pris son bâton pour retoucher sa paire de fesses labiales. Puis elle m'a lorgné avec un sourire et elle a dit:

— C'est mieux ainsi, vous ne trouvez pas?

Elle avait de nouveau sa figure de mannequin. Mon désir s'est refroidi considérablement. J'ai étouffé un bâillement et j'ai jeté un coup d'œil furtif à mes deux montres-bracelets. Il était dix heures vingt-sept ou vingt-huit: l'une avançait ou retardait d'une minute. J'en ai éprouvé de l'agacement, car je les avais réglées la veille. S'agissait-il d'une erreur de ma part? J'ai dû me retenir pour ne pas consulter ma troisième montre, celle qui se trouve dans mon gousset et qui est de beaucoup la plus fiable. Mais Madame Bessière s'en serait sûrement aperçue. D'ailleurs, elle m'adressait de nouveau la parole:

— Ne trouvez-vous pas que c'est mieux?... Pourquoi me regardez-vous comme ça? On jurerait que vous me voyez pour la première fois...

Ces manigances m'agaçaient de plus en plus. J'ai été tenté de lui dire qu'elle m'emmerdait; que j'étais trop vieux pour prendre plaisir à une série d'érections, d'ailleurs laborieuses, à caractère sinusoïdal sans aboutissement naturel. Mais allez donc émettre ces vérités à une femme, surtout dans une province comme la nôtre. Je me suis borné à lui dire que, en effet, je la voyais ou plutôt que je l'avais vue pour la première fois tout à l'heure au naturel avant qu'elle ne décide de se regrimer comme une actrice.

Madame Bessière a paru s'interroger quelques instants sur la teneur de ce compliment ambigu, puis elle a pris le parti de l'interpréter à son avantage car elle a dit:

— Savez-vous, Monsieur Chayer, c'est drôle, mais je suis contente, très contente...

Je n'ai pas eu le temps de connaître les causes de son contentement. Un coup de sonnette l'a interrompue.

Je me suis levé en ronchonnant et je suis allé ouvrir. C'était Paulo qui, plus ivre que jamais, le bonnet de poil perché de biais sur le crâne, est entré presque de force en marmottant des imprécations: selon lui, j'étais un couillon, un traître, un lâcheur de la plus vile espèce. Je l'avais laissé se morfondre au fond d'un bouge infect et je l'avais forcé à boire jusqu'à son dernier sou.

— Même que j'ai été voir dans les toilettes à la fin, tellement j'étais inquiet. J'ai cherché partout, même du côté des femmes. Le barman a dû me sortir. Pour être couillon, t'es un couillon, c'est un fait reconnu. De l'affection, je t'en demande plus, — t'as une roche à la place du cœur — mais de la considération, ça, j'avais cru que t'avais de la considération pour moi. Moi avec qui t'as déjeuné tous les jours pendant cinq ans, oublie pas ça.

Tout en gueulant, il s'assénait d'énormes claques sur la poitrine.

— Mais pour toi, tout ça, ça compte pas, a-t-il continué. T'aimes mieux aller bouffer avec la Bessière qu'avec moi, alors que tu savais que je foutais le camp dans quelques jours. La Bessière, une femme qui, tu l'as dit toi-même, a les fesses tombantes! Si elle avait les fesses rondes, alors je dis pas, ça se comprendrait...

Je me suis mis à m'éclaircir vigoureusement la gorge, et j'ai couru fermer la porte du vivoir, espérant que ma visiteuse n'avait rien entendu. Puis j'ai fait signe à Paulo de parler plus bas, parce que, lui ai-je déclaré, ma mère se trouvait chez moi: c'était même en prévision de sa venue que j'avais dû quitter le bar si précipitamment.

— Ta mère? a dit Paulo. Ta mère? Je pensais que tu la voyais plus depuis vingt ans.

Je lui ai dit qu'il avait raison: je la voyais aujourd'hui pour la première fois depuis dix-neuf ans et sept mois. Je devais sa visite à une banale petite histoire de famille qui, dans l'esprit romanesque de maman, avait pris des proportions exagérées: ma sœur aînée venait de se suicider en avalant du poison à rat.

La bouche béante comme un four, Paulo m'a dévisagé quelques instants de son œil stagnant, puis il s'est ressaisi. D'une voix assourdie qui prouvait que mon explication l'avait quand même ébranlé, il a affirmé que je mentais comme cinquante arracheurs de dents, que ma sœur n'était pas plus morte que lui et que Madame Bessière, c'était un fait reconnu, avait les fesses tombantes.

Je lui ai répondu que, naturellement, j'en avais vu de plus rondes, mais que je ne désespérais pas, en la conduisant régulièrement au *Coq d'or*, de leur donner un peu plus d'embonpoint; que d'ailleurs à mon âge on ne pouvait aspirer à des fesses d'un galbe parfait.

Là-dessus, le front étroit de Paulo s'est quelque peu déridé. Pour être un couillon, j'étais un couillon, on n'en sortait pas, mais un couillon à qui on ne pouvait longtemps garder rancune, attendu que j'avais une roche à la place du cœur. J'ai poussé un soupir de soulagement et je me suis dit que je réussirais maintenant à le foutre dehors sans trop d'emmerdements. Je m'étais trompé : avec une astuce que je ne lui soupçonnais pas, Paulo a fait mine de se recoiffer, d'ajuster son foulard, puis, sans que j'aie pu faire un geste pour le retenir, il s'est élancé dans le living-room en disant qu'il estimait de son devoir d'aller offrir ses condoléances à la mère de son meilleur ami.

Le rire n'est pas mon fort : cette espèce de caquètement accompagné de distension labiale et de sautillement d'épaules m'a toujours paru un exercice inutile et harassant. Je l'ai pratiqué autrefois comme tout le monde quand j'essayais encore de faire bonne impression, puis j'y ai renoncé. Mais à la vue de Madame Bessière et de Paulo, estomaqués et cocasses, qui se dévisageaient, le buste incliné et la mandibule décrochée, un gloussement m'a agité la thyroïde et je me suis dit que sans doute je riotais. Ça n'a d'ailleurs pas duré, car Paulo s'est mis tout à coup à osciller sur ses jambes squelettiques et j'ai dû l'aider à s'effondrer dans un fauteuil : autrement il aurait certainement renversé mon cendrier et je n'aime pas le désordre. Paulo a ensuite émis un ricanement hoqueteux, puis il s'est écrié d'une voix rauque que je ne lui connaissais pas :

— Madame Bessière, je vous salue chapeau bas (il a alors foutu par terre son bonnet de poil mité), je vous salue et je vous félicite, Madame ! Vous avez fait du beau travail !

Là-dessus, Madame Bessière s'est tournée vers moi et m'a demandé avec véhémence si je la laisserais longtemps insulter par cet individu en goguette qui venait de se ruer dans ma maison comme une bête fauve.

Je lui ai répondu que Paulo s'était contenté de lui offrir des salutations et des félicitations, ce qui, sauf erreur, ne constituait pas une insulte. Sans doute, le lancement d'un couvre-chef sur le plancher n'était pas conforme aux règles ordinaires de l'étiquette — je le reconnaissais sans peine — mais ne fallait-il pas attribuer ce geste de Paulo au désir bien compréhensible de se débarrasser à jamais d'un si monstrueux torchon?

Mes explications n'ont pas convaincu Madame Bessière qui s'est écriée pugnacement:

— Mais n'avez-vous pas remarqué de quel ton inimaginable il m'a adressé la parole?

Je lui ai répondu que, malheureusement, l'organe vocal de notre ami manquait en effet de grâce, de velouté. Moi-même, qui l'entendais depuis six ans et huit mois, je n'avais jamais pu m'y habituer tout à fait, mais...

Paulo ne m'a pas laissé compléter ma pensée; bondissant de son fauteuil comme un diable à ressort, il a saisi son torchon de bonnet et l'a relancé à trois reprises sur le plancher en hurlant qu'il en avait assez; que, par considération pour moi, il s'était contraint à traiter «cette poule, cette catin, cette putain» avec le plus grand respect. Il continuerait d'ailleurs de le faire parce qu'il était un «gentleman». Mais puisque j'avais jugé bon de l'insulter, de trahir pour une drôlesse une amitié vieille de six ans, c'était fini entre nous, qu'il fichait le camp et que, si jamais j'avais le culot de vouloir lui adresser de nouveau la parole, il me cracherait purement et simplement à la figure.

Madame Bessière a alors poussé une exclamation aiguë et elle s'est affaissée sur le divan, le torse légèrement tordu vers la droite, la jupe relevée au-dessus des genoux. J'ai trouvé que c'était là une posture intéressante, mais je n'avais pas le temps de m'arrêter à ces considérations esthétiques. Paulo éprouvait de la difficulté à retrouver son bonnet. Aveuglé de rage ou d'ivresse, il tâtonnait le tapis d'une main indécise. Pour hâter son départ, j'ai moi-même ramassé son couvre-chef et je le lui ai enfoncé sur la tête. En le reconduisant — il semblait incapable de marcher seul — je lui ai glissé à l'oreille qu'il avait mal interprété les motifs de la visite de Madame Bessière. Ne se souvenait-il pas du petit complot que nous avions tramé ensemble à la taverne, selon lequel il avait été résolu d'exciser certains appendices de M. de Repentigny ? Eh bien, je me proposais de me servir de Madame Bessière comme appât pour attirer le patron dans un endroit propice à l'accomplissement de ladite abscission. Je ne sais si Paulo a bien saisi la portée de mes paroles. Il avait le regard abruti, la lippe pendante. Son crâne d'oiseau oscillait au bout de son cou démesuré. Je l'ai poussé dans l'escalier et je suis retourné dans le living-room, espérant que Madame Bessière n'aurait pas bougé. J'ai été déçu.

La figure soucieuse, une mèche roussâtre lui balayant le front comme un essuie-glace, elle marchait de long en large en branlant la tête. Je croyais qu'elle allait éclater en imprécations contre Paulo. Mais non. Elle m'a dit d'un ton assez calme :

— Je suis inquiète, Monsieur Chayer. Paulo, vous l'avez vu, ne se possédait plus. Il vous a fait une véritable scène de jalousie. J'ignore quelles peuvent être vos relations avec lui. Ça ne me regarde pas. En tout cas, il s'imagine que nous sommes amants, c'est clair. Saura-t-il tenir sa langue ? Voilà ce qui me tourmente. Vous savez peut-être qu'il connaît Athanase. Assez peu, il est vrai, mais il le connaît. Et Athanase est jaloux comme un tigre...

Je ne suis pas plus susceptible qu'un autre, mais les insinuations désobligeantes de Madame Bessière sur mes relations avec Paulo m'avaient piqué. Je lui ai souligné que, malheureusement peut-être, car, à mon âge, il était sans doute plus facile de gratifier les « amitiés particulières » que les amours conventionnelles, je n'avais nulle aptitude à ce genre d'exercice ; que, d'ailleurs, si j'eusse donné dans ces mœurs, je me croyais assez de goût pour choisir un partenaire plus affriolant que Paulo.

Quant aux craintes de Madame Bessière sur la discrétion de notre ami, elles me paraissaient sans fondement. Je fréquentais Paulo depuis plus de six ans et je ne m'étais jamais aperçu qu'il colportât des calomnies. Jusqu'à preuve du contraire, je lui faisais donc confiance.

Madame Bessière a gardé quelques instants le silence. Ses grands yeux braqués sur moi, elle m'avait écouté avec une attention qui ne paraissait pas exempte de sympathie. Un sourire oblique a brisé la symétrie de ses lèvres, alors que le reste de son visage, le regard surtout, restait sérieux, immobile.

Je m'étais souvent demandé ce qui donnait à la physionomie de Madame Bessière son originalité. Maintenant, je le savais: c'est que sa bouche et son œil semblent se mouvoir indépendamment, chacun pour soi, comme s'ils obéissaient à deux systèmes de commande différents. Si bien que, si l'on veut interpréter avec justesse ses jeux de physionomie, il faut constamment se livrer à un travail de comparaison, de synthèse; tracer une ligne de démarcation à la hauteur de la narine et scruter séparément les deux sections ainsi obtenues. Mais passons. À quoi bon scruter des expressions faciales quand le crâne est vide?... Sourire labial oblique, regard fixe et sérieux, Madame Bessière a donc gardé quelques instants de silence; puis elle a dit:

— Savez-vous, Monsieur Chayer, j'aime ça quand vous me parlez sérieusement. Et c'est sans doute la première fois que vous le faites. Jusqu'à présent, vous avez voulu jouer les cyniques parce que vous n'aviez qu'une idée en tête: coucher avec moi. J'ai tout de suite vu clair dans votre jeu, allez! Je ne suis pas si naïve que vous croyez. Je vous ai donné la réplique parce que ça m'amusait, mais je n'aurais jamais cédé, soyez-en sûr... Pourquoi vous donnez-vous tant de mal pour cacher votre vraie nature, pour ne pas montrer que vous avez des principes? Moi, vous savez, j'aime bien les hommes qui ont des principes...

La tête inclinée, elle me dévisageait de ses iris immenses sous lesquels fuyait obliquement sa figure triangulaire au menton effilé. Je me suis dit que, malgré sa peau un peu fripée, elle n'était pas laide, qu'elle avait un genre. Mais je n'ai rien répondu. À quoi bon? Des principes! C'était de la haute fantaisie! Certaines recettes, peut-être, ça, oui: on ne peut s'empêcher d'en glaner quelques-unes en quarante-huit ans et sept mois. D'ailleurs, les miennes se résument à peu de chose: ne pas emmerder les autres (sauf, bien entendu, les emmerdeurs professionnels) et ne pas me laisser emmerder par eux. Je n'allais pas me mettre à ergoter là-dessus...

Quand elle a vu que je n'ouvrais pas la bouche, elle a étiré les bras comme sous le coup d'une fatigue subite, et elle est allée s'étendre sur le divan en laissant tomber ses souliers sur le tapis. Puis, les paupières à demi fermées:

— Vous ne dites rien, Monsieur Chayer?... Alors, soyez gentil, donnez-moi un autre verre de vin.

J'ai pris la bouteille, j'ai enlevé le bouchon et j'ai versé. Un long silence a suivi. Madame Bessière mordillait le bord de sa coupe. Je voyais ses grands yeux aux cils luisants juste au-dessus du cercle de cristal. Je l'ai trouvée plus attrayante que d'habitude, sans doute parce que je ne voyais pas la partie inférieure de son visage. Mais la visite de Paulo avait tragiquement amorti ma concupiscence. C'était fort ennuyeux. D'autant plus que j'ai d'ordinaire du mal à me mettre en train. Si bien que, pour accélérer le processus, j'ai dû inventer certaines recettes, plutôt enfantines, je le reconnais, mais qui produisent d'habitude de bons résultats. Je me représente une petite série de scènes lascives — toujours les mêmes — pour m'émoustiller. Je ne les décrirai pas. J'aurais peur qu'elles ne perdent leur efficacité en les couchant sur papier. Qu'il me suffise d'indiquer que j'y suis arrivé à la suite de nombreux tâtonnements, de tentatives multiples et souvent avortées. J'ai remarqué, entre autres, que je les «réussis», ces scènes, beaucoup mieux seul qu'en présence d'une femme, à moins que, durant ma période de préparation, je n'aie pas à m'occuper d'elle. Quand je me rends à une maison de tolérance, cela ne présente aucune difficulté. Je m'assieds dans un coin de la chambre, face au mur; je dis à la fille de ne pas faire de bruit; je me concentre le temps qu'il faut, et, quand je suis prêt, je m'approche d'elle. J'ai tellement l'habitude de ce manège que — je m'en rends compte maintenant — je l'avais inconsciemment pratiqué en attendant Madame Bessière une heure plus tôt. C'est sans doute pour ça que j'avais raté mes additions et que je n'avais même pas pu me «concentrer» sur mon cahier de vocabulaire. Mais Madame Bessière s'était obstinée à causer; ensuite il y avait eu l'invasion de Paulo. J'étais maintenant dégonflé, et ma commensale était toujours là. Sans être plus conventionnel qu'un autre, je me rendais bien compte que, si j'étais allé m'installer sur une chaise dans le coin du living-room en fixant le mur et sans desserrer les lèvres durant un bon quart d'heure, Madame Bessière aurait sans doute trouvé ma conduite étrange.

N'empêche que je me trouvais en mauvaise passe. Planté au milieu du vivoir, les mains nouées derrière le dos, je me suis mis à fixer un motif de mon tapis oriental, une espèce de liane alternativement rouge et bleue qui se tord entre de petites fleurs amarante pour se terminer en tête de dragon. J'ai ensuite remarqué qu'une touffe de poils bruns y adhérait. J'en ai éprouvé de la surprise, de l'agacement, attendu que j'avais passé l'aspirateur quelques heures plus tôt. Puis je me suis dit que cette touffe provenait sûrement du bonnet de Paulo et je me suis penché pour la ramasser.

Madame Bessière a dû s'impatienter de mon mutisme, de

mon apparente indifférence, car elle a dit :

— Savez-vous, Monsieur Chayer, je pense que je devrais rentrer.

J'ai mis la touffe de poils dans le cendrier et j'ai regardé Madame Bessière : elle ne semblait nullement disposée à partir. Toujours étendue sur le divan, la tête appuyée sur un coussin, elle faisait lentement tourner son pied droit comme pour s'assurer que sa cheville fonctionnait bien. Sa coupe vide reposait sur le tapis à côté de ses souliers.

J'ai ramassé la coupe ; je l'ai placée sur la table à café et j'ai dit à Madame Bessière que je serais désespéré qu'elle partît si tôt alors que nous avions encore tant de choses à nous dire. Par exemple, cet après-midi au bureau ne m'avait-elle pas promis de m'expliquer les motifs de l'emportement ridicule du patron ?

Elle m'a dévisagé un bon moment en dodelinant de la tête d'un air entendu. La rotation de son pied a stoppé brusquement et elle s'est exclamée :

— C'est donc ça !

Son front s'était défripé et un éclair de triomphe brillait dans ses yeux saillants. Bien que je n'eusse pas saisi le sens de ses paroles, pour lui faire plaisir je lui ai répondu qu'elle avait deviné juste.

— J'aurais dû m'en douter ! a-t-elle enchaîné. Et pourtant, Monsieur Chayer, ça me désappointe un peu, savez-vous. Je vous ai toujours trouvé si calme, si serein au bureau, que je vous croyais imperméable à ces vils commérages...

Au ton emphatique qu'elle adoptait, je me suis rendu compte — mais cette fois avec plaisir — que Madame Bessière se préparait de nouveau à me faire des confidences. J'ai rempli les coupes, j'ai allumé un cigare et je me suis installé dans le fauteuil en me disant que j'en profiterais pour essayer d'évoquer ma petite série de scènes érotiques.

Mais j'y ai perdu ma peine. La voix un peu gutturale de

Madame Bessière me distrayait. J'ai dû me résigner à l'écouter. Je dis : me résigner ; ce n'est pas tout à fait juste. Ce qu'elle racontait ne manquait pas d'intérêt : elle parlait en effet du patron.

Quand elle s'était présentée, voilà déjà cinq ans, à la *Plumbing Supply Company* en quête d'un emploi, M. de Repentigny s'était montré très affable, très correct : il n'y avait pas pour l'instant de vacance au bureau, mais il ne manquerait pas de l'appeler à la première occasion. C'est ce que plusieurs patrons avaient déjà promis à Madame Bessière. Aussi n'y avait-elle pas attaché d'importance. Elle savait à quel point il était difficile pour une femme comme elle, sans expérience, ne possédant que des rudiments d'anglais, et mère de deux enfants, de se caser...

Madame Bessière s'est interrompue. J'ai levé la tête. Avec un sourire en biais, elle se tapotait les cheveux pour vérifier l'état de sa coiffure.

— Naturellement, Monsieur Chayer, vous vous l'imaginez bien, j'aurais pu sans difficulté obtenir un emploi. Certains « managers » m'avaient même pressée d'accepter celui qu'ils m'offraient. Si j'ai refusé, c'est que je comprenais que mes fonctions ne se seraient pas bornées à un travail de bureau. (Ici Madame Bessière a poussé un long soupir.) Il n'est pas toujours commode, allez, pour une femme de posséder le don d'attirer certains hommes, prenez-en ma parole...

Comme le silence se prolongeait, j'ai cru bon de lui assurer que je sympathisais avec elle, que je la plaignais de posséder un don si encombrant, si dangereux.

Madame Bessière m'a jeté un regard en coulisse et elle a dit :

— Allez, Monsieur Chayer, vous vous moquez de moi ! Vous pensez que j'ai dit cela par coquetterie, mais je suis tout à fait sincère, je vous assure.

Je lui ai répondu que je n'avais pas douté un instant de sa

sincérité: je me rendais compte en effet quels efforts épuisants elle devait tenter pour atténuer par son maquillage, sa teinture de cheveux, son vernis à ongles, l'épilage de ses sourcils, etc., la fatale attirance qu'elle exerçait sur «certains hommes».

Elle a rétorqué que j'étais un cynique rempli de mauvaise foi; que je ne la comprenais pas: le comble de la vanité, de l'affectation pour une femme consistait de nos jours à ne point se maquiller, attendu que toutes le faisaient.

— Vous n'êtes pas convaincu?

Je lui ai assuré que, au contraire, ses arguments me paraissaient sans réplique. Elle a continué:

— Imaginez donc quelle a été ma surprise le lendemain quand j'ai reçu un coup de téléphone de Monsieur de Repentigny: une vacance venait de se produire au bureau, et il me convoquait à l'hôtel Mont-Royal où il avait, disait-il, un meeting d'affaires. Naturellement, je ne me doutais de rien. Je m'imaginais que Monsieur de Repentigny était de tout repos. Lors de ma visite au bureau, alors que j'attendais dans l'antichambre, j'avais eu l'occasion d'échanger quelques remarques avec Lucile Francœur. Sans faire mine de rien, je lui avais posé certaines questions sur le patron. Elle m'avait répondu qu'il était plutôt strict sur le chapitre de la ponctualité, du travail, mais que pour être «gentleman», c'était un «gentleman»: jamais il n'avait risqué en sa présence la moindre parole, le moindre geste déplacés. C'est même pour cela, m'a-t-elle assuré, qu'elle restait au service de la *Plumbing Supply Company*, où les salaires n'étaient guère élevés. Je n'aurais pas dû attacher tant d'importance à ses paroles. Lucile était sincère, sans doute. Je ne veux rien dire contre elle, car elle est devenue depuis ma meilleure amie. Mais, vous la connaissez, n'est-ce pas, on n'a pas besoin de la regarder longtemps pour se rendre compte qu'elle ne doit jamais avoir l'occasion d'entendre des paroles déplacées. Son innocence m'agace même quelquefois. Elle sera la première à tomber dans le panneau si jamais un homme lui fait des avances, ne pensez-vous pas? Elle a beau jeu ensuite de répéter à qui veut l'entendre que je fais mal mon travail et que je ne garde mon emploi que grâce à la protection de Monsieur de Repentigny. Je lui pardonne, remarquez bien, parce que je comprends les raisons de son amertume, de son envie...

Madame Bessière avait prononcé ces dernières phrases avec une vivacité inaccoutumée. Elle paraissait même avoir perdu le fil de ses idées. Après quelques instants de silence, elle a posé deux doigts sur son front et m'a demandé où elle en était. Je lui ai rappelé qu'elle se trouvait dans la chambre du patron, à l'hôtel Mont-Royal. Elle a tout de suite enchaîné.

Naturellement, elle avait cru qu'il ne s'agissait que d'un rendez-vous d'affaires. L'entrée en matière de M. de Repentigny avait d'ailleurs été irréprochable. D'un air sérieux, *matter of fact*, il lui avait offert «un poste de confiance». Il savait bien qu'elle manquait d'expérience en comptabilité, mais il était, prétendait-il, bon juge de caractère. Sa longue expérience des affaires lui permettait de jauger d'un coup d'œil la valeur d'un postulant. L'élégance de Madame Bessière, la distinction de ses manières, de son langage l'avaient tout de suite convaincu qu'elle accomplirait son travail avec soin, avec minutie, avec précision. C'est pourquoi il l'avait préférée à d'autres candidates plus expérimentées. Madame Bessière m'a avoué qu'elle était moins sûre que lui de ses aptitudes en comptabilité. (Je n'ai pas jugé opportun de la contredire: il faut toujours conserver à ses mensonges un minimum de plausibilité.)

— Mettez-vous à ma place, Monsieur Chayer. Qu'est-ce que je pouvais faire? Il ne m'appartenait pas de contredire le patron. J'ai peut-être commis là un péché d'omission...

Qu'est-ce que vous en pensez?

J'ai répondu que la casuistique n'était pas mon fort, attendu que ma dernière expérience du confessionnal remontait à vingt-neuf ans et quatre mois, c'est-à-dire à l'époque où j'avais été foutu à la porte du collège pour cause d'irrévérence envers les calotins.

Madame Bessière n'a pas insisté. Après s'être éclairci la voix, elle a toutefois souligné à sa décharge qu'elle se trouvait alors aux abois: depuis trois semaines, elle courait d'un bureau à l'autre à la recherche d'un emploi. Malheureusement, Athanase venait de perdre le sien. Entraîné un jour à la taverne par un soûlard, il avait par mégarde, de retour au bureau où il traçait le plan d'une raffinerie de pétrole, fait passer un escalier à travers un réservoir. Comme le travail pressait, on avait sans vérification tiré des photocalques de ce dessin surréaliste. Ce n'est qu'une fois sur le chantier qu'on avait découvert l'erreur. Il avait fallu démolir, rectifier, recommencer, ce qui avait entraîné des dépenses d'une quarantaine de mille dollars.

Madame Bessière s'est interrompue pour hocher la tête d'un air déprimé:

— Comme me l'a souvent répété Athanase, le fait qu'on n'eût pas vérifié son plan prouve quelle haute idée on se faisait de sa compétence, de ses talents. Pourtant, ses patrons en ont-ils tenu compte? — Pas du tout. Ils l'ont purement et simplement mis à la porte; sans même lui donner une lettre de recommandation. Par dépit, par jalousie. Ils ne pardonnaient pas à Athanase d'être plus compétent qu'eux. Cette pensée nous réconforte sans toutefois, hélas, régler notre situation. En effet, que peut-on tenter aujourd'hui sans lettre de recommandation? Rien. Athanase me l'a expliqué à mainte reprise. C'est pourquoi il préfère rester à la maison pour ne pas grever notre budget par des frais de déplacements inutiles...

Madame Bessière a de nouveau poussé un interminable soupir. Ses yeux, m'a-t-il semblé, se voilaient de larmes. Je me suis empressé de la consoler en affirmant que c'était presque un honneur de se faire congédier dans ces circonstances. Persécuté par des envieux, Athanase avait pour lui le témoignage de sa conscience. Que pesaient les préoccupations matérielles auprès d'une semblable consolation?

Malgré un hochement de la tête qu'elle voulait sans doute sceptique, désabusé, Madame Bessière a paru sensible à ma «compréhension». Du coin de son mouchoir, elle s'est essuyé délicatement les yeux de peur de gâcher son maquillage; puis elle a repris avec plus d'assurance:

— Savez-vous, Monsieur Chayer, c'est exactement ce que je me suis dit. Puisque Athanase s'était injustement fait congédier en dépit de sa compétence, pourquoi n'aurais-je pas accepté, moi, en guise de compensation, l'offre de M. de Repentigny? Même si je n'avais pas la préparation nécessaire... D'ailleurs, le patron, après avoir fait monter à la chambre une bouteille de scotch, m'a assurée qu'au début il ferait tout en son pouvoir pour me rendre la tâche facile, pour m'aider: c'est pourquoi il voulait dès ce soir-là, puisqu'il disposait de quelques minutes, m'expliquer en quoi consisterait mon travail. Il a donc sorti une feuille de sa serviette, il l'a posée sur la table, il a pris un crayon et m'a priée de m'approcher: ce que j'ai fait, naturellement sans le moindre soupçon. Il s'est mis tout de suite à parler de vente, d'achat, de commandes, de livraisons, d'inventaire, de brouillards, de grand livre, de crédit, de débit, en m'alignant des colonnes de chiffres. Je n'y comprenais rien. Il s'en est peut-être rendu compte, car, en me passant le bras sur l'épaule, il m'a priée de m'approcher encore un peu plus...

Madame Bessière a suspendu sa narration pour me prier de lui verser «une autre larme de vin». Elle avait, disait-elle, la gorge brûlante. En trempant les lèvres dans sa coupe, elle m'a lancé un regard coulissant comme pour s'assurer de mon attention. Elle n'a pas été déçue: son récit donnait un aussi bon rendement que mes petites rêveries érotiques et exigeait moins de contention. J'ai durant quelques instants caressé le projet de me faire lire lors de ma prochaine visite au lupanar quelques extraits bien choisis d'une œuvre pornographique, ou encore de prier la fille d'évoquer pour mon édification certains souvenirs personnels. Ça me coûterait quelques dollars de plus, mais l'expérience en vaudrait sans doute la peine. J'ai ensuite pensé au patron et je me suis dit que je l'avais mal jugé. Ses procédés n'avaient peut-être pas été de la dernière finesse, mais il semblait bien qu'il fût parvenu à son but. D'ailleurs, Madame Bessière ne m'a pas laissé longtemps en suspens:

— Le geste de Monsieur de Repentigny, vous savez, pouvait très bien s'interpréter comme un geste paternel, un geste de protection. J'y ai d'autant moins porté attention qu'il continuait à parler, à m'expliquer les affaires du bureau comme si de rien n'était. Toutefois, quand il a brusquement baissé la fermeture éclair de ma robe, j'ai commencé à soupçonner qu'il avait peut-être une idée derrière la tête. Mais qu'est-ce que je pouvais faire, Monsieur Chayer? Mettez-vous à ma place. Appeler le garçon d'étage? Crier au secours? Me débattre? Qui m'aurait crue? On est toujours si enclin à nous accuser, nous, pauvres femmes... Je vous assure d'ailleurs que je n'ai pas pu délibérer longtemps. Pour un homme de son âge, Monsieur de Repentigny a les mains étonnamment agiles. En un rien de temps, il m'avait déshabillée... Je vous fais grâce du reste, — vous avez sans doute déjà deviné de quoi il retournait...

Je lui ai répondu que, en effet, sans vouloir poser au profond psychologue, j'avais cru pénétrer les desseins secrets de Monsieur de Repentigny.

— Mais vous pouvez être sûr, a enchaîné Madame Bes-

sière, que je ne l'ai aidé en rien; que tout le temps que...
cela a duré je lui ai signifié clairement par l'expression dé-
goûtée de ma figure à quel point je le méprisais... Mais vous
ne me croyez peut-être pas...

Madame Bessière me lançait un regard scrutateur, vaguement inquiet. J'en ai profité pour la féliciter d'avoir su —
en dépit de la position délicate où elle se trouvait — manifester si habilement à M. de Repentigny ses sentiments de
répugnance et de dédain. En constatant à quel point sa
conduite avait déplu, le patron avait dû éprouver un honte
cuisante.

Madame Bessière a hoché la tête d'un air sceptique:

— Je voudrais en être aussi sûre que vous, Monsieur
Chayer! En tout cas, croyez-le ou non, il n'en a rien laissé
voir. Il paraissait au contraire content de lui. Je n'ai jamais
été si humiliée de ma vie.

Pour la consoler, j'ai émis l'hypothèse que, absorbé par
d'autres soins, M. de Repentigny n'avait sans doute pas pu
accorder aux expressions faciales de sa nouvelle employée
toute l'attention qu'elles méritaient. Qu'y avait-il d'humiliant
à cela? Madame Bessière doutait-elle de l'éloquence de ses
traits, de ses yeux surtout, qui étaient si beaux, si transpa-
rents, et qui savaient si bien exprimer toutes les nuances de
ses états d'âme?

Elle m'a récompensé d'un long regard languide.

— Ah, Monsieur Chayer, s'est-elle exclamée, vous, au
moins, vous me comprenez! Si tous les hommes étaient
comme vous, la vie serait moins pénible, allez... Vous
voyez, je vous dis tout; je ne vous cache rien, comme à un
confesseur.

Cette comparaison ne m'a pas semblé des plus heureuses.
Mais j'ai jugé préférable de me taire: une nouvelle discussion
aurait pu entraîner chez moi un dégonflage catastrophique.
Comme je l'ai indiqué, tout le long du récit de Madame Bes-

sière, j'avais à ma grande satisfaction senti peu à peu mon sexe se durcir. Sans doute n'avait-il pas encore atteint sa taille maximale. C'était du moins mon sentiment, bien que je n'eusse, il est vrai, qu'une sensation tactile plutôt diffuse pour appuyer mon jugement. Mais il ne faut pas demander l'impossible. La méthode que j'avais dû suivre pour en arriver à ce résultat différait tellement de mes habitudes que j'eusse été malvenu de chicaner sur une question de centimètres. Aussi est-ce avec un sentiment de confiance, presque d'orgueil que je me suis levé et que je me suis dirigé vers Madame Bessière. Je devais avoir une drôle d'expression, car elle m'a demandé très vite d'une voix légèrement oppressée où j'allais: si c'était pour remplir son verre, non merci, elle ne voulait plus de vin, elle avait assez bu. D'ailleurs, il se faisait tard et il était grand temps qu'elle songeât à rentrer. J'ai cru pouvoir me dispenser de lui répondre.

Mon attaque a, si l'on peut dire, manqué d'originalité. J'avais l'impression de plagier les gestes de M. de Repentigny, ce qui m'humiliait un peu, sans compter que je doute fort que mes doigts aient eu l'agileté, la prestesse des siens. Néanmoins, en toute objectivité, je ne vois pas comment j'eusse pu procéder autrement. Madame Bessière portait une robe princesse à fermeture éclair dans le dos. Comment la lui enlever sans d'abord faire glisser le curseur? Même avec la meilleure volonté du monde, l'originalité n'est pas toujours possible. Je n'ai d'ailleurs pas eu le loisir de me poser bien des questions. Au moment où j'abaissais le curseur, Madame Bessière a poussé un petit gémissement guttural. Elle s'est toutefois tenue tranquille quelques secondes, comme sous l'effet du saisissement. Heureusement pour moi, car dans ma précipitation j'avais eu la maladresse de pincer entre le curseur et les maillons de la fermeture la bordure de dentelle qui ornait son jupon. J'ai donc dû dégager ledit curseur au moyen d'une série de petites secousses, le remonter de quelques centimètres, avant de le faire descendre à la hauteur des reins. C'est seulement alors que Madame Bessière a bondi du sofa en réclamant d'un ton hautain des explications: qu'est-ce que je prétendais faire? Pour qui est-ce que je la prenais? Est-ce que je m'imaginais par hasard qu'elle m'avait raconté sa malheureuse aventure avec M. de Repentigny afin de subir encore une fois les mêmes indignités? Si oui, je me trompais. Nous étions de vieux amis, c'était entendu. Elle m'était reconnaissante de l'aide que je lui apportais au bureau, mais cela ne m'autorisait en rien à me livrer sur sa personne à des voies de fait, à des actes de brutalité sans nom. Tout en débitant ces propos, Madame Bessière s'est enfoui la tête dans les mains comme accablée de honte et de désespoir. Je me suis dit que sans doute elle avait besoin de ces simagrées préparatoires, comme moi de mes petites méditations érotiques, et j'ai eu la présence d'esprit de m'apercevoir que sa posture était éminemment propice à l'enlèvement de sa robe. Je n'ai même pas eu besoin de lui décoller les mains du crâne. Elle a d'elle-même agité les bras au-dessus de sa tête au moment opportun, de sorte que j'ai pu accomplir cette seconde opération sans anicroche. Immédiatement après, Madame Bessière s'est replaqué les paumes sur la boîte crânienne en me répétant que j'agissais envers elle d'une façon honteuse, en me suppliant au nom de notre vieille amitié de réfléchir à la portée de mes actes. Quant à elle, elle s'en lavait les mains. Elle avait, grâce à Dieu, la conscience tranquille. Puisque je persistais à la brutaliser et que j'étais le plus fort, je devais assumer l'entière responsabilité de mes gestes. J'ai déposé avec précaution la robe de taffetas sur le dossier du divan, de peur de la froisser, puis je me suis de nouveau approché de Madame Bessière. Je l'ai prise doucement par la taille et je l'ai conduite à ma chambre. Elle n'a pas opposé de résistance. Même sa voix semblait la trahir. Elle se contentait de pousser de petits gémissements plaintifs. Je me suis dit que la comédie ne manquait pas de charme; qu'elle était bien supérieure, en tout cas, aux mamours mécaniques des filles que je fréquentais d'habitude, et je me suis félicité d'avoir invité Madame Bessière à cette petite soirée intime.

Le reste s'est assez bien passé. J'ai été, comme d'habitude, un peu lent à la détente, ce qui, paraît-il, constitue un avantage. En tout cas, Madame Bessière a paru s'en trouver bien et j'étais assez content de moi. Je ne dirai pas que j'ai ressenti une jouissance exceptionnelle, mais elle n'était pas, je pense, inférieure à la moyenne. Je dis: «je pense», car, malgré mes efforts, j'ai toujours éprouvé une extrême difficulté à porter un jugement sûr en ce domaine. J'ai essayé de me dresser autrefois ce que j'appelais une échelle de jouissance, car j'aime la précision. Au début, cette échelle était d'une simplicité extrême. Il s'agissait tout simplement d'inscrire sur une feuille quadrillée et graduée de un à cent le degré de plaisir que j'avais cru éprouver. Ce n'était pas facile. Je passais quelquefois des heures accoudé devant cette feuille à me râcler la mémoire, car je ne voulais pas procéder au hasard. Je me limitais d'abord aux coïts, sans m'occuper des caresses préliminaires. Mais bien vite, je me suis aperçu que le coït proprement dit, surtout quand on fréquente des professionnelles, n'offre que des variations insignifiantes. Je me suis donc rabattu sur la mise en train, qu'il m'a fallu diviser en deux parties: premièrement, la mise en train idéale qui correspondait à ma station assise dans le coin de la chambre, période que je consacre, comme je l'ai indiqué plus haut, à la méditation érotique; deuxièmement, la mise en train physique qui correspondait au pelotage, d'ailleurs assez sommaire, auquel je me livre avant le stade final. J'ai d'ailleurs jugé nécessaire de subdiviser le numéro un en deux parties, à savoir: premièrement, la méditation, pour ainsi dire, dans l'absolu, indépendante de l'apparence

de la fille qui attend et que je ne regarde pas ; deuxièmement, la méditation topique où l'ensemble ou certains détails
de ladite fille jouent un rôle plus ou moins important. Quant
à la mise en train physique, je ne pouvais pas non plus la
considérer en bloc. Par souci de lucidité, j'y avais distingué :
a) la fonction des mains ; b) celle de la bouche ; c) celle du
reste du corps. Malheureusement, l'incertitude des résultats
croissait en fonction directe de la multiplicité des données,
des subdivisions. C'était exaspérant. J'avais beau me livrer à
des calculs exhaustifs, tracer des graphiques élégants, j'avais
toujours l'impression de travailler dans le vide. Un jour de
frustration particulièrement intense, j'ai même eu la naïveté
de m'en ouvrir à Paulo pour vérifier s'il éprouvait les mêmes
difficultés que moi. Tout d'abord, il n'a pas compris ; puis,
quand mes explications ont finalement pénétré dans son cerveau léthargique, il a éclaté d'un rire imbécile, il m'a asséné
une claque dans le dos et il a déclaré que j'étais un farceur
de première force. Je n'ai pas insisté. Il est des domaines
qui resteront à jamais fermés à un somnambule de son acabit.

Peu après, j'ai d'ailleurs abandonné la partie. J'ai laissé
tomber ces calculs décevants qui m'éloignaient de mes additions et de mes parties d'échecs. Ils m'ont quand même
marqué, si l'on peut dire, ils m'ont laissé un certain pli.
Ainsi, au moment où je faisais l'amour avec Madame Bessière, peut-être à cause de la nouveauté des circonstances,
mes anciens calculs me trottaient dans le cerveau. Je n'ai
pas essayé de les chasser. J'ai renoncé depuis longtemps à
donner à mes pensées une orientation quelconque. Je les ac-
cepte comme elles viennent, comme les variations de la
température. Si elles sont désagréables, je me dis que c'est
seulement un mauvais moment à passer, que ça va bientôt
changer. Si elles sont plaisantes, je me dis que c'est tant
mieux, mais je n'essaie pas de les retenir. Je sais que je

pourrais y parvenir: là n'est pas la question. Mais je sais aussi que l'effort ainsi dépensé les priverait de leur charme, de leur agrément. Alors à quoi bon? Un des avantages de vieillir, c'est qu'on réussit ainsi à glaner certaines petites recettes utiles à sa tranquillité.

Mais revenons à Madame Bessière, à Sylvaine, comme elle m'a fait promettre de l'appeler désormais. C'est un nom qui me paraît ridicule, mais je m'y habituerai. Ce qui m'a éloigné l'esprit de mon ancienne échelle de jouissance, c'est précisément le comportement de Sylvaine. Même avant de se mettre au lit, je l'ai indiqué, elle respirait très fort. Sa poitrine aux petits seins tombants se soulevait et s'abaissait avec violence comme un soufflet de forge. C'était peut-être flatteur pour moi. J'ai quand même trouvé qu'elle exagérait. Mais ce n'était là qu'un avant-goût de la violence de ses réactions. Une fois au lit, alors que je faisais tout tranquillement mon travail — car je n'aime ni suer ni me fatiguer — elle, au contraire, s'est mise à pousser des espèces de gloussements saccadés qui se sont terminés par un cri aigu. Si elle avait été plus jeune, j'aurais juré que je lui faisais mal. Elle avait les traits bouffis, le teint écarlate, les yeux hagards; puis elle s'est soudain détendue, elle a baissé les paupières et elle a murmuré d'une voix encore un peu gutturale:

— Salaud! Tu es un salaud, Jérôme! Tous les hommes sont des salauds!

C'était mon opinion. Je l'avais même dit à Paulo la veille. Mais j'ai jugé inutile de répondre, d'autant plus que Madame Bessière semblait plutôt énoncer un fait que demander un avis.

Je me suis retiré, je me suis assis sur le bord du lit, j'ai enfilé mon caleçon et mon tricot, car j'avais un peu froid. J'ai regretté de n'avoir pas remonté le thermostat, puis j'ai regardé mes deux montres-bracelets que j'avais déposées sur ma table de chevet. Il était minuit moins douze ou moins treize. Une de mes montres retardait ou avançait d'une minute. Je me suis dit qu'il me faudrait la régler et que le temps avait passé vite.

Toutefois, j'en avais assez. J'avais fait des efforts inusités pour donner à Madame Bessière des répliques en rapport avec ses propos, et ça m'avait fatigué. Je souhaitais à présent que Sylvaine partît au plus tôt. Malheureusement, elle ne semblait pas du tout disposée à le faire. Étendue sur le lit, la couverture remontée jusqu'au menton, les mains jointes derrière la nuque, les paupières à demi closes, elle paraissait plongée dans une molle méditation. Son rouge à lèvres poussait des pseudopodes vineux dans toutes les directions. Son fond de teint crème s'étendait en archipels irréguliers sur ses joues pâles et même son fard à paupières se diluait vers les tempes en traînées violacées. Je ne l'ai pas regardée longtemps. Je me suis levé, j'ai mis mon pantalon et ma chemise, je suis allé chercher un cigare dans le living-room, je l'ai allumé, je suis revenu à la chambre où je me suis assis dans un fauteuil et j'ai attendu. Madame Bessière a soudain rompu le silence. Sa voix était redevenue à peu près normale; tout au plus y percevait-on des inflexions un peu plus languides, un peu plus caressantes qu'avant. Mais ses paroles exprimaient une exaltation, un romanesque pitoyables. Je l'aurais crue plus adulte. Ne trouvais-je pas cela merveilleux, palabrait-elle, que nous nous entendissions si bien, qu'il régnât entre nous une si parfaite, une si délicieuse harmonie? Pourquoi avions-nous mis tant de temps à découvrir, à sentir les affinités qui nous attiraient l'un vers l'autre? Il fallait que notre censure intérieure, notre refoulement fussent bien puissants, bien tyranniques. La preuve, c'est que Sylvaine m'en voulait un peu malgré tout. N'avais-je pas usé envers elle d'une violence, d'une brutalité révoltantes? N'avais-je pas profité de ma force pour la sub-

60

juguer, l'asservir, elle, pauvre femme sans défense? Elle aurait donc dû me souhaiter du mal, me maudire. Pourtant, elle s'en sentait incapable. Elle me pardonnait. Elle comprenait que malgré les luttes héroïques que je m'étais livrées — inutile de le nier, elle l'avait lu sur mon visage, dans mes yeux, elle avait remarqué ma lenteur, mes hésitations — elle comprenait donc qu'au dernier moment mes instincts eussent triomphé. Alors, à quoi bon se livrer à de vaines récriminations? Ce qui était fait était fait. Ne s'était-elle pas elle-même jusqu'à un certain point laissée emporter? En toute sincérité, elle n'osait le nier. Elle n'avait pas la conscience tranquille. Ce qu'il s'agissait de faire maintenant, c'était de prendre la ferme résolution de ne plus recommencer, de lutter ensemble pour revenir aux relations de pure amitié qui avaient jusqu'à cette soirée néfaste guidé notre conduite, etc.

Je n'avais de ma vie entendu de palabres aussi nauséeuses. Je me suis dit que si ça devait recommencer chaque fois, le jeu ne valait pas la chandelle, et j'ai répondu à Madame Bessière que j'étais content que, en somme, notre petit coït lui eût plu. Elle a de nouveau abaissé ses paupières violettes et repris un masque tragique, pour me faire sentir sans doute l'inconvenance de pareille remarque. Puis elle a enchaîné en déclarant qu'il existait un moyen efficace pour nous aider à persévérer dans les bonnes résolutions que nous venions de prendre ensemble: c'était de me présenter à Athanase. Une fois que j'aurais fait sa connaissance, que je me serais lié d'amitié avec lui — ce qui ne saurait manquer de se produire, attendu qu'Athanase était un charmeur irrésistible — eh bien, elle était sûre que je n'aurais plus aucune envie de le trahir. Elle se fiait à mon honneur, à ma loyauté.

J'ai consulté mes deux montres et j'ai réprimé un bâillement. Il était minuit seize ou dix-sept. Comme je l'ai dit, une de mes montres avançait ou retardait d'une minute. Je n'ai pas l'habitude de me coucher si tard. Il fallait en finir. J'ai répondu à Sylvaine que rien ne me plairait davantage que de faire la connaissance de M. Bessière. Ce n'était pas complètement faux. Elle m'avait tellement rebattu les oreilles avec son Athanase — ce saint homme alcoolique, jaloux comme un tigre, qui vivait aux crochets de sa femme et lui administrait périodiquement des corrections — que j'avais presque hâte d'observer par moi-même de quoi il retournait.

Sylvaine a semblé satisfaite. Elle m'a prié de passer dans le vivoir, car elle ne voulait pas s'habiller en ma présence. Ça ne me faisait ni chaud ni froid. Je suis allé m'asseoir dans mon fauteuil et j'ai regardé mon tapis chinois en fumant mon cigare. J'ai admiré les lianes qui se tordaient entre leurs rangées de petites fleurs amarante, puis j'ai roupillé un peu. Il a fallu trente-quatre minutes à Sylvaine pour refaire sa toilette. Quand elle est sortie de la chambre, elle avait de nouveau son masque de mannequin exagérément maquillé. J'ai appelé un taxi. Comme elle ouvrait la porte, j'ai voulu par acquit de conscience lui donner un baiser, mais elle m'a repoussé doucement en disant:

— Non, Jérôme, non, crois-moi, c'est mieux ainsi. Au revoir. À demain... Et merci tout de même.

Je lui ai répondu qu'il n'y avait pas de quoi. J'ai ramassé la vaisselle, je l'ai lavée, je l'ai rangée dans mon armoire. J'ai mis les canapés qui restaient dans un récipient de plastique sur la tablette supérieure de mon réfrigérateur et je suis allé me coucher. Il était une heure vingt-huit ou vingt-neuf quand j'ai éteint.

J'ai dormi d'un sommeil de plomb et le lendemain je me sentais en forme, ce qui m'arrive rarement, à moins que je n'aie la veille expédié mes additions avec une célérité inaccoutumée. En m'acheminant vers le bureau, j'éprouvais pourtant une vague appréhension. Sylvaine n'allait-elle pas se croire obligée de me lancer des œillades « significatives », de venir même causer avec moi de sujets étrangers à mon travail ? Quant à Paulo, aurait-il la malencontreuse idée de m'attendre à l'entrée de la *Plumbing* afin de m'entretenir de notre projet d'abscission et de m'asperger de ses postillons ?

Mes craintes se sont vite dissipées. La silhouette déguingandée de Paulo ne flageolait point aux abords du bureau, et Sylvaine, que la crainte de M. de Repentigny fit arriver seulement seize minutes en retard, s'est montrée d'une discrétion irréprochable. Il y avait bien le patron qui, les mains nouées dans le dos, le faciès hargneux et le binocle tremblottant, martelait le parquet de ses talons cloutés. Quand il porte ces chaussures-là, ses employés n'ont qu'à bien se tenir : il s'est levé du pied gauche, il cherche la petite bête, il leur chante pouilles au moindre prétexte. D'ordinaire, il procède plus sournoisement : chaussé de souliers à semelles de crêpe, il s'avance en tapinois, silencieux comme une ombre, pour se pencher sur l'épaule d'un scribouillard somnolent et lui hurler à l'oreille quelque cinglante semonce. Je m'imagine que M. de Repentigny doit, au saut du lit, se livrer à des délibérations méticuleuses pour déterminer le genre de chaussures qui convient à ses aspirations matinales, car de son choix dépend la nature de la surveillance, de la persécution qu'il devra ensuite exercer toute la journée. Je m'étonne qu'il ne garde pas dans la penderie de son bureau un assortiment de souliers qu'il pourrait chausser tour à tour selon les besoins du moment — ce qui, à n'en pas douter, augmenterait la frousse et le rendement de ses employés, tout en lui procurant à lui-même des jouissances et des profits accrus. On ne saurait penser à tout, et il faut ajouter à la décharge de M. de Repentigny que ses multiples occupations l'empêchent sans doute d'apporter à son système d'espionnage tous les perfectionnements dont il serait susceptible.

Quoi qu'il en soit, armé ce matin-là de ses talons les plus sonores, le patron arpentait le parquet, le sourcil orageux. Penchés sur leurs pupitres, mes plumitifs collègues grattaient dans un silence absolu leurs papiers, ou tapaient comme des sourds sur leurs machines. J'en étais plutôt content, car leurs papotages habituels me dérangent beaucoup plus que les coups de talon du garde-chiourme, lesquels ont au moins l'avantage de claquer avec régularité. Sauf naturellement quand, déviant soudain de son parcours, le patron fond sur quelque rond-de-cuir. Me rappelant son avanie de la semaine précédente, alors qu'il avait eu le culot de me suggérer de me servir de la calculatrice, j'ai songé quelques instants à allumer un de mes cigares pour exacerber sa rogne ; mais je me suis ravisé : ses vociférations m'eussent empêcher de tripoter mes petites colonnes de chiffres, et je me sentais trop en forme pour risquer le coup. Je me suis dit que je trouverais bien une autre occasion d'excéder le salaud ambulant. Chaque chose en son temps. Je me suis donc plongé dans mes écritures et j'ai constaté avec délices que mon instinct ne m'avait pas trompé : dès ma première addition, il ne s'en est fallu que d'une seconde virgule dix-huit — j'avais mis en marche le chronomètre de poche que je tiens sous clef dans le tiroir de ma tablette — pour égaler un record vieux de deux ans et vingt-sept jours. De fait, je n'avais pas réussi pareille performance depuis plus de six mois. Un frisson d'expectative m'a parcouru. J'ai remaudit Paulo qui, en me forçant de consommer quotidiennement au bureau des sandwiches infects, avait émoussé mes facultés et provoqué chez moi des appréhensions de dégénérescence mentale. À quarante-huit ans et sept mois, ce n'est pas gai.

Je me suis demandé après cette réussite inespérée si mes ébats amoureux de la veille avaient pu contribuer à m'éclaircir le cerveau. Mais j'ai vite chassé ces spéculations de mon esprit. Je me connais: m'y fussé-je attardé que la tentation m'eût saisi de dresser comme autrefois des graphiques et des tableaux. J'avais d'autres chats à fouetter. J'ai donc fermé les yeux pour me concentrer avant de monter de nouveau à l'assaut de mes colonnes de chiffres. Je pressais mon stylomine dans ma main droite; mon chronomètre, dans ma main gauche. Une trémulation m'agitait l'épiderme. Le claquement rythmique des talons de M. de Repentigny me paraissait infiniment lointain: un tam-tam assourdi par un enchevêtrement touffu de lianes. Brusquement, j'ouvris les yeux, pressai le poussoir de mon chronomètre et attaquai mon addition. Mon crayon descendait d'un mouvement continu le long de la colonne. Puis je griffonnai hâtivement mon total et abaissai le bouton du cliquet. Je sentais mon cœur toquer dans mon thorax. J'ai pris une profonde aspiration de plongeur qui émerge des profondeurs. J'avais dû, à mon insu, retenir mon souffle durant l'opération. J'ai eu assez de volonté pour vérifier ma somme — qui était exacte — avant de jeter un coup d'œil au cadran: 77,32 secondes! Seulement 0,23 au-dessous de mon record! Un nouvel effort, et j'avais la conviction que je le battrais. C'est en effet à la troisième tentative que j'atteins d'ordinaire mon niveau idéal. Les deux suivantes sont déjà plus douteuses, et passé la cinquième, c'est de l'énergie gaspillée. On ne saurait prolonger indéfiniment une telle concentration d'esprit. Si je m'obstine quelquefois à recommencer dix ou même douze fois, c'est par bêtise, par entêtement, par exaspération. J'ai tourné la page de mon grand livre et j'ai de nouveau fermé les yeux en prévision de l'assaut final. Mon frisson avait cessé. Je tenais les mâchoires serrées comme un étau. Une sueur commençait à sourdre au creux de mes aisselles. C'était à la fois nauséeux et fascinant. Je ne sais combien de secondes je suis resté ainsi immobile, tendu comme un arc, à attendre.

Puis, brusquement, j'ai eu l'impression qu'un changement, une brisure s'était produit quelque part. Ma concentration m'échappait, s'éparpillait, coulait hors de moi comme l'eau dans une chasse. Je m'agitai un peu, voulus me ressaisir, serrai plus fort dans mes mains mon stylomine et mon chronomètre. Sans résultat.

— C'est une nouvelle méthode?

Je sursautai, ouvris les yeux: M. de Repentigny se tenait devant moi, hargneux et triomphant.

— Vous vous croyez si fort en comptabilité que vous avez maintenant décidé de travailler les yeux fermés, Monsieur Chayer?

Il avait débité ses brocards d'une voix tonnante afin que tous les employés le comprissent. Je dus me tenir à quatre pour ne pas éclater. Seule la longue discipline que je me suis imposée pour ne jamais manifester ma colère qu'à bon escient m'a permis d'accuser le coup sans trop tiquer. Le garde-chiourme avait vraiment dépassé les bornes. Mais je ne pouvais risquer une riposte immédiate dont le débit bredouillant, rageur, eût compromis l'efficacité. Le salaud en a profité pour me décocher une nouvelle injure:

— Vous étiez sans doute en train de rêver au prochain gueuleton que vous vous paieriez au détriment de votre ponctualité?

Comme la veille, les yeux de tous mes co-gratte-papier étaient braqués sur nous. Leurs gueules d'abrutis exprimaient un contentement non équivoque, causé sans doute à la fois par leur soulagement d'avoir échappé pour l'instant aux invectives du patron et par leur satisfaction de constater que c'était moi, si rarement pris en faute, qui me faisais enguirlander. Seule la figure de Sylvaine trahissait de l'inquiétude, même une certaine sympathie. Ces diverses réactions, il va sans dire, ne me faisaient ni chaud ni froid. L'envie ou l'admiration de crétins incapables d'accomplir rapidement la plus simple opération mathématique m'indiffèrent au suprême degré. Le patron, c'est une autre paire de manches. Il a autorité sur moi, du moins en théorie. Sans compter la vieille dent que je conserve contre lui, il pouvait m'empoisonner l'existence pour peu que je le laisse empiéter d'une ligne sur mon indépendance.

Toutefois, comme je l'ai indiqué, je n'étais pas encore suffisamment maître de moi pour le larder avec astuce. Histoire de gagner du temps, j'ai donc allumé un de mes rugueux cigares et lui en ai, comme par mégarde, soufflé une bouffée dans le nez. Cette contre-attaque, je m'en rends compte, n'était pas du dernier raffinement. Mais tous les chemins mènent à Rome: rien n'est efficace au cours d'une controverse comme de rappeler à un rival arrogant qu'il a un corps, qu'il est physiquement vulnérable. À ce point de vue, ma bouffée de panatella a surpassé mes espérances. M. de Repentigny, qui est catarrho-bronchitique, s'est mis à tousser, à renâcler, à graillonner, à expectorer convulsivement, si bien que j'ai craint un moment qu'il ne se précipitât dans son bureau pour s'envoyer, selon son habitude, des gouttes dans le nez ou avaler une cuillerée de sirop. Heureusement, mon appréhension s'est révélée sans fondement: le bronchitique n'était sans doute pas en état de se déplacer.

J'ai alors jugé que le temps était venu de prendre la parole. J'ai dit au catarrheux avec toute l'aménité possible que, sans vouloir en rien déprécier ses dons de psychologue, je n'avais nullement fermé les yeux dans le but de rêver à quelque ripaille que — je le lui avais souligné la veille — mes minables appointements m'interdisaient. L'explication de mon comportement était beaucoup plus simple, plus prosaïque: si j'avais clos les paupières, c'était pour me maîtriser, pour m'empêcher de dire son fait à un certain maniaque ambulant dont les talons cloutés, claquant sur un plancher de béton, rendaient tout travail impossible...

J'avais compté terminer là mon speech. Mais, comme le catarrheux renâclait toujours, j'ai craint qu'il n'en eût pas saisi toutes les nuances et j'ai ajouté que certaines maisons à la page avaient la délicatesse de faire recouvrir de liège leur plancher et recommandaient à leur personnel de porter des chaussures à semelles de crêpe pour étouffer le bruit: raffinements sybaritiques où M. de Repentigny voyait sans doute une preuve supplémentaire de l'influence néfaste des grossiers Yanquis. Il préférait, lui, faire morfondre ses forçats dans une boîte infecte dont, n'étant point architecte, j'hésitais à déterminer s'il s'agissait d'une remise, d'une baraque ou d'une ancienne écurie.

À ce stade de mon petit laïus, je me suis aperçu que le patron, son teint verdâtre drôlement marqueté d'îlots incarnats, avait fini de renâcler et qu'il agitait la mandibule comme pour m'interrompre. J'ai donc prestement porté mon panatella à mes lèvres dans le but de fumiger derechef le catarrheux. Malheureusement, j'avais parlé trop longtemps: mon cigare était éteint. Pour parer au plus pressé, j'ai donc demandé au patron s'il avait du feu. Cette simple question, je l'ai constaté avec plaisir, a paru produire chez lui un effet aussi bénéfique qu'une solide bouffée de fumée. Les îlots incarnats de son faciès de fouine ont tourné au cramoisi. J'aurais aimé observer plus à loisir ce changement de teinte qui ne manquait pas d'un certain intérêt pictural. Je n'ai pas pu m'y arrêter longtemps, car si M. de Repentigny semblait avoir pour l'instant les cordes vocales paralysées, il possédait encore, comme je m'en suis rendu compte, l'usage de ses membres: il me flanqua en effet sur la main droite une claque vigoureuse qui envoya rouler mon panatella à une huitaine de verges. En un sens, ça m'arrangeait, car — je l'ai déjà indiqué — je ne prise guère le cigare durant la matinée. Je me rendais compte toutefois que là ne résidait pas la seule considération qui dût entrer en ligne de compte. La claque patronale réclamait une riposte tangible. J'aurais pu naturellement lui foutre un gnon sur le museau ou, mieux encore, un coup de pied dans la région des testicules : ç'eût été me mettre dans mon tort. Je préférais l'exaspérer plus astucieusement afin qu'il tentât de se livrer sur ma personne à des voies de fait incontestables. Il me serait alors loisible de le démantibuler en invoquant légitime défense. Je me suis donc borné à le soulager de son lorgnon que je lançai sur le plancher où il vola en miettes. J'espérais bien que le catarrheux se ruerait sur moi le poing levé. J'avais malheureusement oublié qu'il était d'une myopie de taupe : on ne saurait penser à tout. Les deux bras étendus comme un somnambule, les mains tâtonnantes, M. de Repentigny s'est penché à la recherche de son pince-nez. Sans succès, naturellement. Il s'est vite redressé. La perte de la vue lui avait délié la langue. D'une voix rauque, sifflante, il s'est mis à me traiter de dégoûtant, de dégueulasse, de malappris, de salopiaud, de goujat, de butor, de sagouin, d'ostrogoth et de crapoteux, pour couronner son énumération par le vocable *cul*, lequel résumait sans doute assez bien le fond de sa pensée. J'ai trouvé que la richesse de son vocabulaire méritait un témoignage d'appréciation : tout en le surveillant du coin de l'œil, j'ai donc ramassé les débris de son lorgnon et je les lui ai tendus en exprimant l'espoir qu'il se rendait compte maintenant des avantages d'un carrelage de liège comparé à un plancher de ciment armé.

Je m'attendais à ce que le myope cédât derechef à une crise de logorrhée imprécatoire. Mais non. Il avait sans doute épuisé son vocabulaire d'un coup. C'est une grave erreur de tactique. Il est plus efficace d'injurier les gens à petites doses. Au début, on peut donner l'impression d'avoir le dessous, mais, pour peu que l'engueulade se prolonge, les traits que l'on décoche peu à peu, méthodiquement, comme d'un arsenal inépuisable, alors que l'adversaire doit recourir à des redondances ou même à des cris inarticulés, ont tôt fait de l'humilier, de lui donner un complexe d'infériorité. Depuis vingt-six ans, c'est la stratégie que je m'efforce de suivre, et je m'en suis toujours trouvé bien. J'aurais volontiers refilé là-dessus quelques tuyaux à M. de Repentigny, mais il tournait les talons et se retirait d'une démarche flageolante.

Dès qu'il eut disparu dans son cabinet, mes co-plumitifs tentèrent naturellement d'amorcer avec moi la conversation : ce sont des papoteurs invétérés. Je leur ai souligné que j'avais du travail à faire. Ils se sont donc groupés à quelque distance de mon bureau pour commérer à leur aise. Il n'était malheureusement plus question pour moi d'essayer de battre mon record ce matin-là. Je me connais : même les plus banales interruptions dérangent mon assiette. Je me suis quand même rappelé à point que nous possédions dans le coin de notre écurie une calculatrice détraquée. Je m'en suis servi pour faire mes additions et après m'être assuré qu'elles étaient fausses — un jeu d'enfant car je les vérifiais à mesure — je les ai couchées dans mon grand livre en ayant soin d'y brocher la bande de papier issue de la calculatrice.

Mais Lucile Francœur vint me remettre une enveloppe. Ladite enveloppe contenait un chèque de six semaines de traitement accompagné d'une note :

Renvoyé pour cause d'insubordination. Remise fonds retraite sera expédiée par courrier.

THÉODORE DE REPENTIGNY

On pouvait s'y attendre. Je me suis demandé si je devais me présenter incontinent au bureau du patron pour lui réclamer une lettre de recommandation. Mais je me suis dit que, sans pince-nez, il ne serait pas en état d'essayer de me frapper ni de piquer une nouvelle crise de rage aussi réjouissante que la première. J'ai donc décidé de remettre cette visite au lendemain et je suis sorti.

En descendant les marches geignardes du vieil escalier, je n'ai pu m'empêcher de songer aux emmerdements qu'entraînerait la perte de mon emploi. Dire que j'étais inquiet, ce serait exagéré. Je possède un compte de banque de $1 237.59; vingt-huit actions de la *Canadian Car and Foundry* et trente-deux de la *Southern Electric Power Company*, qui valaient respectivement $117.56 et $124.71¼ d'après les cotes boursières de la veille: ce qui constitue un total de $8 520.07. Pas une fortune, bien sûr, mais de quoi voir venir. D'autant plus que j'ai des goûts plutôt modestes: mes dépenses hebdomadaires l'année dernière se sont chiffrées à $47.73. Je n'étais donc pas inquiet. D'ailleurs, je ne le suis jamais, sauf, comme je l'ai indiqué, lors de mes visites au lupanar. Tout à fait illogiquement d'ailleurs: aujourd'hui quelques injections de pénicilline peuvent zigouiller les plus tenaces spirochètes. Il s'agit donc plutôt chez moi du souvenir d'une ancienne anxiété qui me remonte instinctivement à la conscience que d'une inquiétude vierge. Passé un certain âge d'ailleurs, toutes les inquiétudes sont sans doute de cette nature. À moins, naturellement, qu'on ne devienne gâteux. Et alors c'est en somme sans importance: on emmerde plutôt les autres que soi-même. Sans s'en rendre compte: si on s'en rendait compte, on se suiciderait tout simplement. Le malheur, c'est qu'on accède au gâtisme insensiblement, insidieusement. Je l'ai constaté autrefois chez mon grand-père. Il est mort à 96 ans. Si la mémoire ne me trahit point, mes parents ont dû le torcher durant une bonne décennie. Ce n'était pas gai. Ils se remontaient le moral en répétant qu'ils accumulaient ainsi des mérites pour le ciel: c'est une consolation qui en vaut une autre; pour des avaleurs de couleuvres naturellement.

Quant à mon père, aux dernières nouvelles, il vivait encore. Voilà trois ans et sept mois, une vague cousine, boniche dans un presbytère, m'a accosté rue Sainte-Catherine

pour m'exprimer son contentement du « miraculeux rétablisse-
ment de ce cher oncle Oguinase » — c'est le nom ridicule
qu'il porte ; je n'y peux rien. Je n'ai pas pris la peine de
m'enquérir de quoi le paternel se rétablissait : il m'a autrefois administré trop de coups de pied au cul pour que son
état de santé me tienne à cœur. Néanmoins, s'il vit toujours,
il a aujourd'hui 87 ans, deux mois et vingt-quatre jours.
C'est dire que mon espérance de vie est supérieure à la
moyenne...

Mais je m'égarais : ma mise à pied par ce catarrheux de
de Repentigny avait dû quand même me secouer plus profondément que je ne l'avais imaginé pour que ces balivernes
me remontassent au cerveau.

J'ai donc descendu l'escalier geignard de la « boîte », je
suis sorti, et j'ai avalé une large goulée d'air frais. Il était
midi moins trois minutes. Je n'avais — naturellement — rien
à faire de la journée. Je décidai donc d'aller bouffer chez
moi.

J'avais longé un îlot et demi de maisons quand j'entendis
derrière moi un claquement précipité de talons féminins et la
voix essoufflée de Sylvaine qui criait :

— Monsieur Chayer, Jérôme, attendez, attends-moi !

Je me suis arrêté. Sylvaine se tenait devant moi haletante,
son chapeau cloche de travers, son rouge à lèvres asymétri-
que. Elle m'a appuyé la main droite sur l'avant-bras comme
si elle pouvait à peine se soutenir tandis que sa gauche reposait à plat sur sa poitrine houleuse.

— Merci, Monsieur Chayer... Jérôme plutôt (un sourire
en biais accentua son déséquilibre labial), merci. Tu m'as
vengée de ce vieux satyre révoltant. Merci, Jérôme.

Je lui ai répondu qu'il n'y avait pas de quoi : le geste par
lequel j'avais déchaussé le nez crochu du binoclard n'avait
point été déclenché — je m'en excusais — pour venger la
vertu de Sylvaine. Si, toutefois, elle interprétait le bris du

pince-nez comme une compensation aux sévices dont elle avait été victime à l'hôtel Mont-Royal, j'étais naturellement enchanté d'avoir pu faire d'une pierre deux coups.

— Vous êtes admirable, s'exclama Sylvaine en serrant de ses doigts effilés mon avant-bras. Tu es héroïque, Jérôme, tu es chevaleresque! Je t'en sais gré au point... (nouveau sourire biaisant) au point d'oublier ta conduite d'hier soir...

Je me suis contenté de hocher la tête. Sylvaine a alors changé de disque:

— Mais comme tu dois me trouver égoïste, détestable, mon pauvre Jérôme! Te voilà sur le pavé, chômeur, guetté par la misère, par la faim, et je te parle de ma petite vanité de femme! Pardonne-moi, Jérôme! Dis-moi que tu me pardonnes!

L'œil implorant, elle me pressait de nouveau le bras. Elle a manqué sa carrière: elle aurait dû faire du théâtre. Je lui ai dit que je lui pardonnais.

— Merci, Jérôme, merci!... Mais ce n'est pas pour cela que j'ai couru après toi.

Elle s'est alors mise à m'expliquer les motifs de sa galopade: elle tenait absolument à me présenter Athanase. Notre situation n'était-elle pas identique? N'étions-nous pas, l'un et l'autre, sur le pavé, sans ressources, en butte à un renvoi inique, à la persécution de patrons fielleux? De plus, nous jouions tous deux aux échecs et fumions le cigare: tout nous rapprochait donc. C'est pourquoi il *fallait* que je leur rendisse visite le soir même...

D'abord décidé à décliner l'invitation, j'avais dressé l'oreille au mot «échecs». L'allusion de Sylvaine, la veille, au néfaste rapport qui existait entre ses ennuis de ménage et le jeu des rois m'est revenue à l'esprit. L'élucidation de ce mystère méritait un déplacement. D'ailleurs il n'était pas impossible qu'Athanase, en sa qualité d'ingénieur au rancart, donc porté, côté profession, à la chose mathématique,

73

fût un joueur d'échecs sérieux. J'ai donc déclaré à Sylvaine que ce me serait un vaste honneur de faire la connaissance de son sympathique conjoint, attendu que, fumant tous deux le cigare, nous allions certainement nous entendre à merveille.

Mais notre station prolongée sur le trottoir commençait à me donner sur les nerfs. J'ai jeté un coup d'œil à mes deux montres-bracelets et je me suis permis de faire remarquer à Sylvaine que, si elle voulait aller prendre une bouchée sans encourir par son retard les foudres du « satyre », elle avait tout juste le temps. Elle m'a lâché le bras et s'est passé sur le front une paume somnambulique.

— Quelle heure est-il ? m'a-t-elle demandé en fixant sa montre puis en la portant à son oreille, sans doute pour s'assurer que, comme d'habitude, elle ne marchait pas.

Je lui ai dit qu'il était exactement midi treize minutes.

— Je m'en fiche ! s'exclama-t-elle... Mais je ne veux pas vous retenir plus longtemps. Les émotions de la matinée ont dû drôlement vous démantibuler et tu dois avoir besoin de repos, mon pauvre Jérôme. À ce soir, pas ?

Sur ce, elle s'est éloignée presque au pas de course, et j'ai enfin pu rentrer.

C'est Sylvaine qui est venue m'ouvrir. Il était huit heures vingt-trois. Elle m'a conduit immédiatement à la cuisine en s'excusant : Athanase était en train de jouer aux échecs avec M. le vicaire Passetout et, quand Athanase — qui était frileux — jouait aux échecs, il refusait de s'éloigner de la cuisinière à gaz. Moi, ça m'arrangeait plutôt car, en enlevant mon paletot, j'avais remarqué qu'un froid humide régnait dans l'antichambre.

Athanase ni le vicaire ne m'ont paru des types démonstratifs. Les yeux rivés à leurs pièces, ils m'ont distraitement

serré la main en marmonnant «plaisir...enchanté». La main
d'Athanase était glacée; celle de Passetout, bouillante. Ac-
coudés à un guéridon de chêne devant un échiquier balafré
où cinq capsules de bouteilles de bière tenaient lieu de pions
(trois Black Label, pour les noirs, naturellement; deux
Molson, pour les blancs), les deux joueurs gardaient une
immobilité de statue. Quant à Sylvaine, une fois les présen-
tations faites, elle s'était retirée en disant qu'elle devait aller
aider Marie-Odile et Athanase jeune à faire leurs devoirs
d'arithmétique: je les plains.

La partie n'était guère avancée. Pas la peine donc d'y
porter attention pour l'instant. Un simple coup d'œil pour
me graver la position des pièces dans la mémoire, et je me
suis mis à détailler mentalement la physionomie des deux
joueurs: il faut bien s'occuper à quelque chose.

C'est d'abord le Passetout que j'ai observé. Sans doute
parce que, poussif et bovin, il émet en pompant l'air de ses
naseaux évasés, ovoïdes, quasi horizontaux et embroussail-
lés de poils, une sibilation de soupape. Il arbore une trogne
couperosée dont les bouffissures huileuses réduisent la bouche sans lèvres à une vague rainure, et les yeux à deux cavi-
tés minuscules et circulaires. Mais c'est son (ou ses) men-
ton(s) — on hésite entre le singulier et le pluriel devant un
appendice de cette nature — qui m'a (ou m'ont) le plus ac-
caparé. Je m'explique: bien qu'une légère dépression mé-
diane le (ou les) sépare sur le plan vertical (dépression qui
aurait pour résultat, si on en tenait compte, d'en doubler le
nombre), il m'a paru plus simple et plus conforme à la topo-
graphie d'ensemble d'ignorer ladite dépression nord-sud et
de borner la description (et l'énumération) du (ou des) dit(s)
menton(s) aux plissures profondes qui le(s) segmentent ou
le(s) délimitent sur le plan horizontal. Mais, même réduite à
sa perspective est-ouest, il ne faut pas s'imaginer que la
configuration mentonnière du Passetout soit d'une descrip-

tion facile. Tout d'abord, comme je l'ai indiqué, au simple point de vue numérique, on hésite entre l'unité et la multiplicité. En effet, bien que le bourrelet adipeux (ou le pneumatique) qui occupe le deuxième rang de bas en haut, c'est-à-dire en partant du menton proprement facial, écrase de sa masse celui qui le précède (le menton proprement dit) et les deux qui le suivent, à savoir: le deuxième bourrelet médian et le bourrelet terminal férocement étranglé dans sa partie inférieure par le celluloïde du col ecclésiastique, il faut tenir compte des pneus secondaires aussi bien que du principal. On en arrive ainsi, au point de vue topographique, au nombre quatre. D'autre part, si on se place au simple point de vue masse, on aboutit à un chiffre approximatif (puisque jaugé à vue de nez) de 1 333, les bourrelets secondaires ne représentant en effet respectivement qu'un sixième, un vingt-quatrième, un huitième de la masse apparente du bourrelet principal.

Je n'avais probablement jamais scruté la binette d'un calotin aussi méticuleusement depuis mon expulsion du collège voilà vingt-neuf ans et quatre mois. C'était le préfet de discipline dont je me plaisais alors à détailler le faciès chevalin pour l'édification de mes condisciples. J'avais acquis à cet exercice, je dois le reconnaître, une certaine habileté. C'était à une époque où je m'imaginais encore que les mots pouvaient exprimer quelque chose de précis: pensée, sentiment ou réalité extérieure. J'en suis revenu. Mais j'ai farfouillé dans le temps maint dictionnaire dans le but d'acquérir une certaine ascribologie. Je n'avais pas encore vraiment découvert la netteté, la beauté des mathématiques. Cette découverte s'est d'ailleurs accomplie progressivement, insensiblement. De dix-huit à vingt ans, il m'arrivait encore d'interrompre un problème d'algèbre, de trigonométrie, de calcul intégral même (que je tripatouillais solitairement bien que le *calculus* ne figurât pas encore au programme de mes études) pour chercher la signification de tel ou tel terme chez Littré, Larousse, Dauzat et compagnie.

Mais je reviens à mes moutons, plus précisément à Athanase. Avant de lui analyser le masque toutefois, j'ai jeté un nouveau coup d'œil à l'échiquier. Il s'était écoulé huit minutes depuis mon arrivée, et ce que j'y vis me désarçonna, si l'on peut dire. Le déplacement des pièces du Passetout avait suivi un cours normal pour un joueur médiocre, capable de prévoir au maximum cinq ou six coups. Le jeu d'Athanase, au contraire, présentait des transformations inexplicables, effarantes : il avait stupidement reculé certaines pièces (en particulier son cavalier de droite et son fou de gauche), fort adroitement campées lors de ma dernière perlustration, alors que d'autres pièces — la reine et la tour gauche surtout — occupaient des positions susceptibles, compte tenu du jeu consciencieux mais borné de l'ensoutanné, de l'acculer à échec et mat en dix ou douze coups.

S'agissait-il, de la part d'Athanase, de calcul, de hasard, de distraction, d'ébriété, de j'm'enfoutisme, de désir de ménager le calotin, de prolonger la partie ? Toutes ces hypothèses m'ont zébré en même temps le cerveau, et j'ai été tenté de remettre à plus tard l'exploration du faciès athanasien pour suivre en détail la progression de la partie. Puis je me suis dit que, attendu que huit minutes s'étaient écoulées entre ma première et ma seconde saisie de l'échiquier et que, mathématiquement, compte tenu de l'habileté relative des deux adversaires, la partie de part ou d'autre ne pouvait se boucler avant un minimum de douze coups, il m'était loisible de consacrer cinq minutes (ou, par mesure de précaution, quatre) à la trombine d'Athanase sans perdre aucun développement crucial de la partie. C'est ce que j'ai fait.

Le menton excepté, le faciès de Bessière présente une configuration plus nuancée que la trogne du Passetout, laquelle se résume en somme à une demi-sphère sans rides

77

ponctuée dans le segment supérieur de deux petits cercles, percée à l'équateur de deux orifices ovoïdes, et fendue d'une mince ligne dans la zone méridionale.

La figure athanasienne, au contraire, offre une surface fendillée comme la rive glaiseuse d'une rivière à l'étiage, et qui défie toute schématisation géométrique un peu soucieuse de précision. C'est donc aux craquelures et crevasses qu'il s'agissait d'abord de s'attaquer, quitte à indiquer ensuite les saillies et anfractuosités plus considérables certes, mais à première vue moins frappantes — eu égard, naturellement, à la distance du point d'observation où je me trouvais (environ deux pieds et six pouces) et eu égard également à la source lumineuse qui éclairait ledit visage: en l'occurrence une ampoule électrique d'une centaine de watts en verre poli, d'un éclat épineux et surplombant, située à une verge des lobes frontaux. J'ai dit: craquelures et crevasses au lieu de rides, car les rides standard présentent en coupe transversale deux courbes paraboliques qui s'intersectent au point de dépression maximale. Or, les rides d'Athanase ne se composent pas de deux paraboles ni même de deux hyperboles, mais de deux droites formant un angle tellement aigu qu'elles sont pour ainsi dire parallèles entre elles, d'une part, et (par conséquent), d'autre part, quasi perpendiculaires à la surface de l'épiderme.

Le réseau qu'elles forment sur les méplats en particulier, mais aussi jusqu'à un certain point sur le front, ne le cède en rien, question originalité, à leur conformation singulière en section transversale.

J'ai consulté mes deux montres-bracelets pour vérifier si j'avais le temps d'esquisser verbalement (je veux dire mentalement-verbalement) la description du ou desdits réseaux. Il ne me restait malheureusement que quarante-cinq secondes des quatre minutes que je m'étais allouées. Je dis: malheureusement, car cet exercice, quoique parfaitement inutile (mais qu'est-ce qui *est* utile sauf de manger, de boire, de dormir, de se soulager, de copuler quand le besoin s'en fait sentir et de passer le temps le moins désagréablement possible?), cet exercice mental donc, pourvu qu'on s'y adonne avec intensité et d'une façon sporadique, me paraît en somme moins crétinisant que de parler température, politique, religion, sexe, esthétique, littérature et autres fariboles *ejusdem farinae*.

Mais revenons à mes rides. La patte d'oie y était naturellement, mais formait un éventail plus obtus que la moyenne. Les lignes de cet éventail étaient coupées du côté gauche par trois courbes parenthétiques plutôt légères — le tout fendillé comme une vieille toile par des espèces de gerçures presque aussi appuyées que les pattes d'oie et les parenthèses, et circonscrivant à l'aide de celles-ci des aires en majorité rhombiformes, en minorité triangulaires, sans compter un certain nombre de polygones plus élaborés. Quant au côté droit, de l'angle où je me trouvais je ne le voyais pas.

D'autre part, je n'ai eu le loisir d'examiner de la joue gauche — car le temps pressait — que les craquelures de force. Ces dernières rayonnaient depuis un rond-point un tantinet saillant et cruciforme — ancien impétigo, ex-verrue, papule ou vestige de loupe excisée — perché au sommet d'une pommette verticalement oblongue, se prolongeaient vers le bas jusqu'au niveau de la commissure des lèvres, vers le haut, de la pupille, et, horizontalement, aboutissaient, d'une part, à la saillie nasale, et, de l'autre, au lobe de l'oreille.

La joue droite présente-t-elle un moyeu et des raies analogues? Je l'ignore. Ça n'a d'ailleurs aucune espèce d'importance. Bien que j'eusse eu, une fois la partie terminée, l'occasion de m'en assurer, je ne m'en suis pas donné la peine. J'avais d'ailleurs à cette heure-là des observations moins inanes à recueillir.

Par exemple, j'ai découvert rapidement la raison du jeu apparemment erratique d'Athanase, jeu à progression, si l'on peut dire, sinusoïdale, où les bons et les mauvais coups alternaient avec une régularité à peu près parfaite: Athanase ménageait Passetout tout en le tenant sur le qui-vive. Qu'il pût atteindre ce résultat par l'alternance quasi mathématique ci-dessus indiquée démontre à quel point ses «bons coups» étaient solides. Car, bien que le jeu du Passetout ne présentât jamais aucune surprise, se déroulant avec une médiocrité sans faille, il arrivait quand même, de par la simple loi des probabilités, que certains déplacements de pièces requissent, à l'occasion, de la part d'Athanase (qui ne jouait *vraiment* qu'à tous les deux coups), des ripostes offensives ou défensives d'une habileté supérieure. Je ne veux pas risquer de jugement prématuré sur la force échiquéenne véritable de l'ivrogne, car Athanase est un ivrogne, j'en ai acquis la certitude, mais je la situe (au minimum) au niveau du joueur numéro dix du club Saint-Denis. Passons. Je m'explique, côté alcoolique: à terre, près du guéridon qui servait de support à l'échiquier, reposait une serviette de chagrin noir portant les initiales A.P., et qui appartenait donc au Passetout, lequel, je l'ai appris plus tard, répond au prénom farcesque d'Aloysius. Ladite serviette de chagrin, dont l'ouverture était béante, contenait cinq bouteilles de vin: l'une ouverte et sans doute vide (puisque Athanase n'y touchait point), la deuxième au bouchon à demi sorti, les trois autres encore scellées. Voici comment l'alcoolique — de toute évidence désireux que le vicaire ne s'aperçût point de son manège — s'y abreuvait: à tous les quatre ou huit coups (d'échecs), c'est-à-dire après l'un de ses (à Athanase) «bons coups», au moment où le Passetout, se trouvant en mauvaise posture, émettait une espèce de renâclement et dévorait l'échiquier de ses petits yeux porcins, Athanase, sans remuer le buste, étendait la main droite vers la bouteille à demi vide, en retirait le bouchon, la sortait de la serviette, emplissait sans bruit son verre (qu'il s'était fiché entre les cuisses), remettait bouteille et bouchon en place, s'envoyait une lampée de vin, déposait son verre par terre contre sa chaise et se raccoudait au guéridon d'un air béat. Le Passetout, lui, absorbé par la partie, renâclait et chuintait toujours sans rien remarquer. Il mettait d'ailleurs tellement de temps — à tous les quatre ou huit coups — à bouger une pièce qu'Athanase en profitait souvent pour ingurgiter une seconde ou même une troisième goulée.

Moi, je commençais à m'embêter. Malgré ses singularités, la partie d'échecs n'offrait qu'un intérêt humain, c'est-à-dire aucun intérêt. Et il ne fallait pas songer à me mesurer à l'ivrogne ce soir-là : au rythme où il biberonnait, il serait ivre mort (ou du moins demi-mort) avant d'avoir vaincu le Passetout ou de s'être laissé vaincre par lui. J'ai donc décidé de rester à mon poste jusqu'à ce que la seconde bouteille fût vide pour voir si Athanase s'attaquerait ensuite incontinent à la troisième et, si oui, comment il s'y prendrait pour l'ouvrir sans éveiller l'attention du calotin. Ensuite, je ficherais le camp ou j'essaierais peut-être d'aller peloter un peu Sylvaine si l'heure habituelle de mon coucher n'avait pas encore sonné.

Les circonstances en décidèrent autrement. Je m'explique : à mesure que baissait le niveau du vin dans la deuxième bouteille, Athanase donnait des signes d'inquiétude, de nervosité. Je ne m'étais pas trompé en supposant que le passage d'une bouteille à la suivante (c'est-à-dire la difficulté de la déboucher en tapinois) marquait pour lui les moments palpitants, cruciaux de la soirée. Grâce à moi, Athanase s'en est tiré à son honneur, je devrais dire : grâce à ma présence, car jusque-là l'ivrogne ne s'était pas plus occupé de moi que si j'eusse été un meuble ou un torchon.

La seconde bouteille étant donc finie et son verre drainé jusqu'à la dernière goutte, Athanase a ouvert la bouche pour prononcer les mots suivants, adressés, me sembla-t-il, plutôt au Passetout qu'à moi :

— Impolitesse impardonnable : pas offert vin Monsieur Chayer.

Sans lever les yeux, Passetout a poussé un grognement interrogatif.

— Vin... pas offert... Monsieur Chayer, a répété Athanase un ton plus haut.

Passetout a émis un autre grognement, cette fois d'intonation approbative. Mais il n'avait pas encore saisi, car il a simplement tendu son verre presque plein à Athanase qui a alors crié :

— Pas offert vin Monsieur Chayer !

Le vicaire a tourné vers moi un œil surpris et il a dit :

— Ah ! bon.

Athanase a sorti de sa poche un tire-bouchon, a saisi la troisième bouteille, l'a ouverte prestement et silencieusement, l'a replacée dans la serviette, s'est emparé de la quatrième bouteille, l'a débouchée avec un « pop » retentissant, l'a déposée sur le guéridon, s'est précipité vers l'armoire au-dessus de l'évier, en a extrait une coupe ébréchée, me l'a tendue brusquement, l'a emplie, a empli son propre verre, l'a sablé, l'a rempli, a glissé la bouteille dans la serviette de chagrin, s'est rassis ; a poussé un soupir satisfait et l'aménité au point de soulever son verre dans ma direction et de dire :

— La vôtre.

Je n'aime pas boire, je l'ai dit, mais j'ai décidé de rester : Athanase est un type sympathique. Je lui ai offert un cigare. Il l'a extrait de l'étui, l'a dépiauté de son cellophane avec une prestesse d'illusionniste, l'a léché d'une langue pâteuse et blanchâtre, d'un coup d'ongle a craqué une allumette qu'il m'a tendue comme à regret, a pompé trois fois son cigare (la flamme dansant devant sa figure et en accusant à chaque soubresaut le réseau craquelé), s'est envoyé dans les poumons une bouffée monstre et m'a dit :

— ...ci bien.

À ce moment, Sylvaine, vêtue d'un kimono fraise écrasée, l'air inquiet, est apparue dans l'encadrement de la porte et a dit :

— Athanase, mon chou, tu n'es pas encore en train de te chicaner avec Monsieur le vicaire, toujours ? Ces deux-là, vous savez, Monsieur Chayer, faut que je les surveille comme des enfants. Comme si Marie-Odile et Athanase jeune ne me donnaient pas déjà assez de tracas ! Mais non ! Tous les soirs que le bon Dieu amène, la partie se termine en discussion, en vociférations, en engueulades, sauf votre respect. Les pièces volent par terre. Il s'en perd naturellement. Vous voyez : ils en sont réduits à se servir de capsules en guise de... des machins ordinaires, vous savez. Est-ce là une façon intelligente de passer le temps ? Je vous le demande. Comme s'ils ne pouvaient pas au moins déplacer tout tranquillement leurs petits morceaux de bois sur ce... sur cette planche carreautée ! Mais non ! Après avoir poussé une couple d'heures leurs statuettes et leurs capsules, il faut qu'ils se mettent à s'enguirlander, à se lancer des injures à la tête. De vrais enfants, je vous le dis. Tu n'es pas déjà saoul, mon chou, toujours ? Athanase, réponds-moi ! N'essaie pas de te cacher ! Tu n'es pas déjà saoul ?

À travers un nuage de fumée, Athanase a répondu d'une voix calme :

— Pas encore... t'avertirai.

Passetout, lui, paraissait n'avoir rien entendu. Il venait d'avancer précautionneusement une pièce et fixait l'échiquier d'un air satisfait.

— Ah ! bon, a repris Sylvaine. Au fond, Monsieur Chayer, je ne le croyais pas, vous savez. Ce serait la fin de tout, qu'Athanase se saoule plus tôt que d'habitude précisément le soir où nous avons un visiteur !... Non, ça, je ne le croyais pas. Tout va bien : tant mieux. Vous fumez tous deux des cigares, c'est merveilleux. Je savais bien que vous étiez faits pour vous entendre... Je vous reverrai un peu plus tard, n'est-ce pas, Monsieur Chayer ? À tout à l'heure.

Elle m'a souri en biais, m'a effleuré l'épaule de sa main aux ongles écarlates et elle est sortie.

Athanase avait déjà joué — un de ses « mauvais coups ». Passetout riposta en lui mangeant une tour. Sur ce, l'ivrogne déplaça sa reine en disant :

— ...chec.

Et le vicaire, dont l'instant d'avant le quadruple menton tremblottait de plaisir, se mit derechef à chuinter et à renâcler.

Comme je l'ai dit, j'avais pris la résolution de foutre le camp après le débouchage de la troisième bouteille. Ce sont les paroles de Sylvaine qui m'ont retenu. Non pas les dernières : la revoir un peu plus tard ce soir-là (même à supposer que Passetout fût parti et Athanase assommé, ivre mort, ronflant sur le linoléum de la cuisine), donc, pour ainsi dire, seul à seule, qu'est-ce que ça m'aurait donné ? J'eusse pu, sans doute, la monter de nouveau, enfin je le suppose, bien qu'il ne me soit pas arrivé de faire l'amour deux jours consécutifs depuis quinze ans. Ce n'était donc pas les paroles finales de Sylvaine qui me retenaient, mais les précédentes. Puisque le calotin et l'alcoolique allaient, selon toute probabilité, s'engueuler, voire se bagarrer, vers la fin de la partie, ç'aurait été idiot de manquer le clou du spectacle. Je suis donc resté sur ma chaise, alternativement à béer aux corneilles et à siroter le vin de ma coupe ébréchée. Heureusement, à mesure que le temps passait, Athanase éclusait à un rythme sans cesse accru. Si bien que, vingt-trois minutes exactement après le départ de Sylvaine, il avait cul-sèqué la quatrième bouteille et son verre. Ni l'un ni l'autre des joueurs n'avait jusque-là un avantage perceptible. Mais alors, brusquement, bien que ses gestes ne fussent plus de la dernière précision, Athanase est sorti de sa torpeur et en quatre coups bien tapés, auxquels le vicaire ne pouvait parer qu'en déplaçant son roi agonisant, il a fait échec et mat.

J'ai offert au gagnant un second cigare auquel il fit subir les mêmes opérations qu'au précédent bien qu'à un rythme moins prestigieux et cette fois l'expression de sa gratitude s'est bornée à:

— ...ci.

Mais le Passetout, lui, filait un mauvais coton. Après avoir fouillé dans sa serviette et constaté que sur cinq, quatre bouteilles étaient vides, il a débouché la dernière, a rempli son verre et a proclamé d'un ton *ex cathedra* qui se voulait sans doute cinglant:

— Bessière, je vous le déclare tout net: vous buvez trop. Je le constate avec un chagrin à la fois de chrétien et d'ami: vous buvez d'une façon révoltante et si Monsieur... Monsieur votre ami n'était pas présent, je dirais même comme un pourceau.

Je me suis frotté les mains l'une contre l'autre en me disant que, en somme, les choses commençaient bien.

Athanase émit un rire claquant de crécelle et repartit:

— Voulez dire: pas assez.

— Pardon? demanda Passetout.

Athanase répondit en articulant avec une netteté dont je le croyais incapable:

— J'ai dit que vous vouliez dire, Monsieur le vicaire Aloysius Passetout, que je ne buvais pas assez.

— C'est ce que j'avais cru entendre, contra Passetout. Mais, bien que ce ne soit pas la première fois — bien au contraire — que vous prononcez en ma présence des paroles absurdes, je vous avais accordé le bénéfice du doute.

Je me suis rendu compte que j'avais mésestimé Passetout: sans doute à cause de la médiocrité de son jeu et de sa qualité d'ecclésiastique. Au point de vue sarcasme, sa repartie n'était pas piquée des vers. Je l'ai retenue textuellement en me promettant de l'employer, ou quelque insulte analogue, le lendemain lors de mon entrevue avec de Repentigny.

Mais Athanase ne se laissa pas décontenancer. De toute évidence, les fréquentes, peut-être quotidiennes, passes d'armes des deux jouteurs les avaient aguerris, pourvus d'un admirable arsenal d'invectives. Il va sans dire que j'en ai fait mon profit, car même si — je le dis sans me vanter — je manie moi-même l'injure avec une certaine dextérité, je ne prétends point avoir atteint la perfection. Ce n'est peut-être pas faute de talent. D'occasion plutôt. Je n'ai pas, comme l'ivrogne et le calotin, la chance d'expérimenter... d'aiguiser et de décocher régulièrement des brocards. Comme dans tous les domaines, c'est une question d'entraînement, de persévérance.

Mais revenons au soiffard qui, la lèvre amère et les bras déployés, riposta avec détermination:

— Permettez-moi, Monsieur le vicaire Aloysius Passetout, de souligner que vous faites preuve, comme toujours, d'un manque d'imagination ou d'une mauvaise foi qui n'ont d'égale que votre nullité aux échecs. Je ne vous en blâme pas, remarquez. La providence a jugé bon de vous doter d'un entendement au-dessous de la moyenne: en ma qualité d'ami, je le déplore naturellement, mais ne saurais vous en tenir responsable. Elle avait sans doute ses desseins, la providence, en vous octroyant un quotient intellectuel qui, à en juger par votre force échiquéenne, ne saurait sensiblement dépasser l'indice de soixante.

Durant l'envolée oratoire d'Athanase, les naseaux ovoïdes du Passetout émettaient des renâclements accrus en comparaison desquels ceux, pourtant vigoureux, qu'ils avaient produits durant la partie d'échecs se réduisaient en rétrospective à des chuintements délicats, veloutés.

Mais dès qu'Athanase eut fait savoir à quel niveau, selon lui, se situait le quotient intellectuel de l'ecclésiastique, lesdits renâclements stoppèrent subito pour faire place à un bredouillis rocailleux duquel il ressortait — autant que j'en pus juger — que, d'après le vicaire Passetout, Athanase était non seulement un ivrogne invétéré — ce qui, en un sens, mais en un sens seulement, eût été pardonnable, attendu que l'esprit est prompt, la chair, au contraire, faible — mais qu'il se révélait aussi un blasphémateur sans vergogne qui, la cervelle sombrant dans une mer d'alcool, osait mêler la providence à ses imprécations contre un représentant de Dieu sur la terre.

Athanase profita de cette interruption pour s'arroser derechef les cordes vocales de deux rasades et demie, puis reprit le fil de son raisonnement comme s'il n'eût pas entendu un mot de la dernière riposte de Passetout.

Il s'agissait, selon Athanase, de rappeler d'abord, puisque le vicaire avait qualifié d'absurdes les paroles que lui, Athanase, avait prononcées, que la notion d'absurdité était relative. Certes, il comprenait que, pour un individu dont l'âge mental ne dépassait pas douze ans (incapable par conséquent de suivre les raisonnements pourtant élémentaires que lui (Athanase) avait effectués), sa déclaration, aux fins de démontrer que la déclaration antérieure de Passetout aurait dû statuer que lui (Athanase) n'avait *pas assez* au lieu de *trop* bu, pouvait paraître absurde. C'est pourquoi, tant par souci d'amitié que de charité chrétienne, il allait expliquer en détail les motifs pour lesquels l'ecclésiastique, par inconscience ou mauvaise foi, avait émis une opinion diamétralement opposée à sa pensée, si toutefois pensée il y avait. Il fallait d'abord supposer que Monsieur le vicaire Aloysius Passetout prenait un certain plaisir à pousser au hasard des pièces sur un échiquier; allant plus loin, il fallait également supposer — et là la supposition se muait en certitude à cause du dépit infantile que Passetout manifestait chaque fois qu'il perdait — il fallait donc *constater* que, en dépit de la façon ridicule avec laquelle il conduisait son jeu, le vicaire espérait gagner. Or, bien que lui (Athanase), pour ménager l'amour-propre de Passetout, ingurgitât (au détriment peut-être de sa santé) un certain nombre de verres de vin dans l'espoir, hélas toujours déçu, de perdre un jour la partie, il était évident que lui (Athanase) aurait dû boire davantage afin de permettre à Passetout de gagner. Une fois lui (Athanase), ivre mort, plongé dans une inconscience totale, à peine capable d'effectuer les gestes nécessaires au déplacement de ses pièces, alors peut-être — peut-être seulement, car la nullité du jeu de Passetout dépassait toujours les prévisions les plus pessimistes — le vicaire réussirait-il à atteindre son but, à — malgré l'absurdité de pareil terme en pareil contexte — «triompher». À l'avenir, donc, il y allait de l'intérêt de Passetout de faire copieusement boire Athanase au moins deux heures avant de songer à se mesurer à lui.

Au cours de sa tirade, Athanase s'était levé et, son grand corps penché au-dessus du guéridon, sa figure craquelée à six pouces de la trogne de Passetout, il dardait sur ce dernier des regards furibonds. Puis, comme le vicaire ne répliquait pas, l'ivrogne se laissa retomber sur sa chaise, la bouche tordue d'un rictus méprisant.

Un long silence suivit, ponctué seulement par les ébrouements du vicaire qui, à mon grand désappointement, perdirent peu à peu de leur intensité, redevinrent des bruits respiratoires, je ne dirai pas normaux, ce qui serait exagéré, mais qui ne dépassaient pas sensiblement à mon avis ceux d'un cheval poussif au repos. C'était décevant au possible. Mes deux montres marquaient dix heures trente-huit. La dispute n'avait donc duré que seize ou dix-sept minutes selon qu'on en fît remonter l'origine au moment où Athanase avait fait échec et mat, ou bien à celui où le vicaire s'était mis à le traiter d'ivrogne. Cette dernière interprétation me semblait d'ailleurs plus logique, attendu que l'entre-deux — c'est-à-dire la minute qui s'était écoulée entre la fin de la partie d'échecs et le début de l'engueulade proprement dite — avait constitué une scène muette où, sans doute, les gestes et la mimique du Passetout laissaient présager une altercation imminente, mais qui différait quand même d'une façon très nette de la scène parlée. Quoi qu'il en fût, seize ou dix-sept minutes, je trouvais que c'était court. J'avais espéré que, de même qu'on avait passé tout naturellement de la scène muette à la scène parlée, de même la scène parlée aboutirait sans anicroche à une scène active, c'est-à-dire bagarrante, où les deux adversaires se tomberaient mutuellement dessus, se prendraient aux cheveux, échangeraient des coups intéressants. Je m'étais trompé. Certes, Athanase avait paru d'attaque. Il ne s'en fallut, me sembla-t-il, que d'un cheveu pour que sa pugnacité verbale se concrétisât en voies de fait. Un geste du vicaire, et ça y était. Malheureusement, ce dernier, qui avait pourtant fait preuve d'une combativité louable au stade initial du chamaillis, semblait maintenant affaissé, léthargique. Je ne veux point porter sur lui de jugement téméraire: s'étant sans doute mesuré jadis avec le saoulard, la dyspnée avait pu trahir sa bonne volonté.

Je songeais néanmoins à l'aiguillonner d'une pointe astucieuse quand il rompit le silence. Étrangement, c'était à moi qu'il s'adressait, d'une voix dolente, cassée, pleurnicharde:

— Vous venez, mon cher monsieur, geignait-il, d'assister au dénouement tragique d'une amitié vieille de vingt ans. Oui, monsieur, bien que la chose soit aujourd'hui difficile à concevoir, ce lamentable Athanase que vous voyez là devant vous, cette ruine, cette loque qui n'a plus d'humain que la conformation corporelle — car malgré tout elle possède encore des membres et des organes extérieurement semblables aux nôtres — eh bien, cette guenille, monsieur, j'ai éprouvé autrefois de la sympathie, de l'amitié pour elle, je l'ai aimée. Mais aujourd'hui, cent fois hélas, bien que, sur le plan surnaturel, mon devoir m'oblige à considérer encore Monsieur Bessière comme mon prochain, je ne puis, en tant qu'homme, concevoir à son égard que le plus transcendental mépris. Êtes-vous capable de m'en blâmer, monsieur? Répondez-moi, éclairez-moi. En toute sincérité, en examinant le fond de votre conscience, pouvez-vous me jeter la pierre?

Je lui ai répondu que, n'étant point masochiste et ayant depuis vingt-neuf ans et quatre mois — c'est-à-dire depuis le jour où un ratichon janséniste m'avait bien involontairement rendu le service de me foutre à la porte d'un de ces bagnes miteux qui répondent chez nous au nom de collèges classiques — j'avais, dis-je, renoncé à l'exercice absurde, de nature masturbatoire, que l'on avait, si ma mémoire ne me trahissait point, l'habitude d'appeler en langage technique «examen de conscience», je ne me sentais nullement habilité, ni sur le plan, comme il disait, surnaturel, ni sur le plan psychologique, à apporter ne fût-ce qu'un fantôme de solution à ses «drames intérieurs».

À ma grande satisfaction, cette réponse m'a paru aussi efficace au point de vue intensification des renâclements que les précédentes tirades d'Athanase. J'eusse souhaité que ce dernier se tînt tranquille un peu plus longtemps pour observer plus à loisir les réactions du Passetout. Mais dès que j'eus fini de m'expliquer, Athanase lança un «Aha» tonitruant dont je ne pus déterminer s'il était jubilant ou réprobateur, et balaya la table d'un swing vigoureux. Il ne resta plus sur l'échiquier qu'une solitaire capsule Black Label à l'intersection de quatre carreaux.

C'est alors que Sylvaine, à demi maquillée, toujours vêtue de son kimono fraise écrasée dont les pans entrouverts laissaient voir une partie du soutien-gorge et de la gaine à jarre-telles, fit de nouveau irruption dans la cuisine.

— Athanase, mon chou, dit-elle, quand c'est l'heure de servir le café, pourquoi ne m'appelles-tu pas au lieu d'épar-piller tes petits morceaux de bois sur le plancher? Je te l'ai demandé des centaines de fois.

— Oublié, dit Athanase, prochaine fois.

Sylvaine, se tournant alors vers moi, a paru soudain re-marquer l'entrebâillement de son kimono et s'est exclamée en le refermant:

— Ah, mon Dieu!... Ces saletés de petits morceaux de bois qui roulent partout dans la cuisine me font perdre la tête. Le lendemain Athanase, qui est d'une propreté méticu-leuse et déteste se salir les mains, bougonne quand il doit fouiller dans le sac de l'aspirateur pour les repêcher. Vous verrez, Monsieur Chayer, qu'ils finiront par jouer unique-ment avec des capsules de bière. Moi, remarquez, qu'ils poussent des capsules ou des statuettes, ça m'est parfaite-ment égal. Je préfère même les capsules parce qu'elles sont facilement remplaçables. Mais il paraît que ça fait une diffé-rence. Pourquoi, je vous le demande? Est-il plus difficile de se disputer pour des capsules que pour des morceaux de bois? C'est ce que je n'ai jamais pu comprendre. Qu'en pensez-vous? Vous qui êtes étranger à ces chicaneries, donnez-moi votre avis sincère.

J'ai exprimé l'opinion que, si on était suffisamment dé-terminé, on pouvait au besoin s'engueuler, voire se cracher à la figure dans l'absolu pour ainsi dire, sans l'aide de capsu-les ou de « morceaux de bois » selon son heureuse expres-sion. Toutefois, si l'on voulait s'enguirlander à partir d'un prétexte précis — en l'occurrence, une partie d'échecs — la substitution intégrale des morceaux de bois par des capsules de bière présentait des inconvénients indéniables. N'étant guère porté à la bouteille, je ne savais malheureusement pas combien de marques de bière se débitaient dans la province de Québec. Si elles s'élevaient à douze, on pouvait — c'était l'évidence même — se passer de pièces d'échecs ordinaires...

Sylvaine me dévisageait d'un œil égaré tout en tripotant la ceinture de son kimono.

— Mais, Monsieur Chayer, vous parlez de bière et... Vous n'avez pas compris. Je ne...

— Évidence absolue, enchaîna Athanase. Roi, reine, fous, cavaliers, tours, pions, multiplié par deux : total douze. Ç'pas votre avis, révérend Aloysius Passetout ?

Le vicaire était plongé dans une somnolence léthargique. Il sursauta en s'entendant interpeler.

— Excusez, mâchonna-t-il, n'ai pas tout à fait saisi... de quoi...

— Pions ! vrombit Athanase.

Passetout, la figure écarlate, bondit comme un ressort.

— Ça dépasse les bornes ! Je ne tolérerai pas !...

— Fous ! clama Athanase imperturbable.

— Non, jamais ! Vous êtes un butor, Athanase. En présence de madame, jamais je ne tolérerai !... La mesure est comble, je me retire.

— Tours, cavaliers, reine, roi, poursuivit l'ivrogne d'un ton très doux et comme surpris. Mouche étrange vous pique. Multiplié par deux : total douze. Évidence absolue. Calcul enfantin.

Passetout, mystifié, se tourna vers Sylvaine.

— De quoi parle votre pauvre mari, madame ? Ou, plus précisément, au sujet de quoi divague-t-il ?

— Aucune idée, répondit Sylvaine. Mais au fond je sais bien ce qui le tarabiscote. Il déteste fouiller dans le sac de l'aspirateur et il s'imagine qu'en débitant des énigmes pour m'humilier il va me forcer à ramasser ses morceaux de bois à la main. Il se trompe joliment. Je l'ai averti. Désormais c'est l'aspirateur — rien d'autre. Je n'en démordrai pas.

Athanase saisit son verre, l'éclusa prestement et le lança de toutes ses forces sur le plancher. Il (le verre) était malheureusement en plastique : il rebondit, pirouetta, puis s'immobilisa près de l'armoire sans se briser. L'ivrogne se mit alors sur pied et, oscillant de façon à me donner l'espoir qu'il croulerait bientôt près de son verre, il éleva ses longs bras décharnés comme pour prendre le plafond à témoin de l'inanité des paroles de Sylvaine.

— L'aspirateur, monsieur! (Il s'adressait à moi, faute sans doute d'un interlocuteur moins antipathique.) L'as-ppira--tteur! (À chaque occlusive, abusivement doublée, il émettait une buée de postillons qui, s'ils n'égalaient pas en grosseur ceux de Paulo, les surpassaient en revanche par leur nombre et surtout par leur vélocité. J'ai reculé ma chaise de deux pieds et demi environ : ayant été douché la veille par ledit Paulo, je ne tenais pas à répéter l'expérience.) L'as-ppira--tteur!... Quand elle ne songe pas à autre chose que je ne nommerai pas par respect, sinon pour l'intelligence, du moins pour la qualité ecclésiastique de Monsieur le vicaire Aloysius Passetout, c'est l'aspirateur qui remplit, si l'on peut dire, son cerveau. Voilà où nous en sommes, Monsieur! Voilà où j'en suis rendu, moi, un ingénieur diplômé, bâtisseur émérite de gratte-ciel innombrables, voilà à quel niveau on me ravale : au niveau, monsieur, je ne dis pas d'un as-ppira--tteur — ce qui serait encore trop noble, trop élevé — mais au sac à poussière, aux entrailles, aux intestins de cet appareil collecteur d'ordures. Et pourtant, monsieur, malgré tout, j'ai la foi, je suis pratiquant. Je me confesse toutes les semaines, monsieur, pas, il va sans dire, à monsieur le vicaire ici présent, qui naturellement, ne serait pas en mesure de comprendre ce...

Athanase n'eut pas le loisir d'expliquer ce que Passetout n'était pas en mesure de comprendre. Ce dernier, en effet, émergea une seconde fois de sa léthargie pour tonner d'un organe stentorien:

— Halte-là, Bessière! Aussi longtemps que vous vous êtes contenté de vilipender mon humble personne, vous l'avez constaté, je n'ai pas soufflé mot. Mais puisque vous poussez la bassesse, l'ignominie jusqu'à dégoiser des paroles ordurières en présence de votre épouse dévouée, pieuse et, j'ose le dire, ascétique, attendu qu'elle continue à vivre avec un dégénéré de votre espèce, puisque vous poussez l'irrévérence jusqu'à tourner en ridicule le saint tribunal de... je me retire...

À ce moment Sylvaine imprima une série de secousses à la manche de Passetout et s'enquit d'une voix flûtée:

— Monsieur l'abbé, vous prendrez bien un café avant de partir?

Il sembla tomber des nues. Les deux boutons qui lui servent d'yeux se fixèrent sur Sylvaine un long moment. Puis, il répondit, en s'épongeant le front:

— Je vous remercie, chère madame, ce n'est pas de refus. La pénible discussion de ce soir m'a plutôt asséché la gorge.

Athanase, lui, paraissait réfractaire à tout breuvage à base de caféine. Le vin et le sac à poussière absorbaient toute son attention:

— Ce que Sylvaine voudrait, monsieur, je vais vous le dire: c'est que moi, monsieur, géniteur de gratte-ciel innombrables, je borne mes activités au sondage intestinal de son aspirateur. Qu'est-ce que vous en dites, monsieur? Sont-ce là des fonctions dignes d'un cerveau tel que le mien?

Je lui ai répondu qu'il n'y avait pas, comme on dit, de sot métier. Si, eu égard à l'état actuel du développement technique, le bon fonctionnement de l'aspirateur réclamait des curetages et des évacuations périodiques, il fallait bien se résigner à lui prêter la main. Comme je possédais moi-même un aspirateur, je devais aussi, environ deux fois par mois, procéder à cette opération que j'accomplissais, sinon avec plaisir, du moins sans répugnance.

Je me suis ensuite mis à expliquer à Athanase — comme l'avait fait pour moi le démonstrateur de mon dernier appareil — le progrès énorme que constituait l'invention du sac-filtre amovible par rapport à l'ancien bidon où la poussière, en se mêlant à l'eau du réservoir, formait une fange fétide et poisseuse. J'ai ajouté que s'il (Athanase) prenait dorénavant l'habitude — et je le lui conseillais avec insistance — de se représenter vivement à l'esprit cette fange immonde chaque fois qu'il devait farfouiller dans le sac à poussière, il s'en trouverait, en comparaison, bien.

J'ai alors remarqué que Passetout, retiré à l'écart en compagnie de Sylvaine, après un léger coup de tête dans ma direction, portait son index droit à la hauteur de sa tempe et y imprimait un mouvement rotatoire d'un symbolisme transparent. Il chuchotait en même temps quelque chose à l'oreille de son interlocutrice. Je me suis empressé d'attirer l'attention d'Athanase sur ces manigances. La violence de sa réaction surpassa mes espérances, car il s'écria incontinent:

— Passetout! si vous voulez faire des propositions malhonnêtes à ma femme, veuillez bien avoir, je ne dirai pas la délicatesse — terme dont vous ignorez de toute évidence la teneur — mais la prudence, ou plutôt l'instinct de conservation, de le faire d'une façon moins flagrante.

Passetout se contenta de jeter un rapide coup d'œil à Athanase:

— Ça ne devrait pas tarder maintenant, madame.

Sylvaine lorgna à son tour l'ivrogne:

— Non, je n'aurai peut-être même pas le temps de faire le café.

— Espérons-le, dit Passetout.

Je n'ai pu m'empêcher de m'interroger sur le sens de cette conversation. Mon incertitude n'a pas duré longtemps.

Athanase, en effet, oscillait de plus en plus. Ou plutôt non: il ne s'agissait pas précisément d'oscillation — c'était un mouvement autrement compliqué, dont la formulation relèverait de la géométrie analytique, quelque chose dans le genre de:

$$\frac{x^2 - d^2}{a^2} + \frac{y^2}{b^2} = \frac{z^2}{c^2}$$

Comme Sylvaine et Passetout n'offraient à ce moment-là aucun intérêt, celui-ci roupillant sur une chaise, celle-là farfouillant dans une armoire, j'ai, faute de mieux, analysé sommairement la gymnastique d'Athanase. Mais il fallait couper au plus court car le temps pressait. C'est pourquoi, faisant, d'une part, abstraction de l'aspect physique ainsi que des variations de l'obliquité, réduisant d'autre part la tête et les pieds à des points géométriques, j'en ai rabattu les vecteurs, en projection orthogonale, sur le plan du plancher. Ramenée à cette perspective bidimensionnelle (abstraction faite, encore une fois, de toute variation), la courbe engendrée par le crâne devenait simple: une ellipse dont les pieds d'Athanase constituaient les foyers. Passant du plane au spatial, il devenait clair que l'aire circonscrite par la rotation du corps affectait la forme d'un tronc de cône renversé et légèrement aplati dont l'évasure supérieure représentait, au moment où je me mis à l'observer, à peu près le double de l'inférieure. Mais l'écart entre les deux évasures allait s'accentuant, attendu que la tête d'Athanase décrivait en réalité un mouvement spiral et non pas ellipsoïdal. C'est dire que l'ivrogne, malgré un écarquillement plutôt considérable, finit par crouler sur le plancher où il resta étendu, immobile, en une posture qui tenait de l'épouvantail et du flicard pivot. Que l'ivrogne fût désormais incapable d'automotion, j'en étais convaincu même avant que le vicaire ne me priât de l'aider à le transporter. Ce projet de translation m'a paru parfaitement inutile, attendu que la cuisine de Sylvaine est plutôt spacieuse et qu'Athanase gisait à une bonne huitaine de pieds de la table où nous devions prendre le café. Malgré ma répugnance à causer avec un calotin, c'est ce que j'ai tenté d'expliquer à Passetout. Naturellement, le ratichon ne voulait rien entendre, qui, saisissant l'ivrogne par les aisselles, s'est mis à le traîner en direction de l'antichambre tout en mâchonnant à mon intention des remarques désobligeantes : il ne fallait pas, selon lui, s'étonner qu'un anticlérical, un matérialiste, un esprit fort de mon acabit se refusât à la plus élémentaire œuvre de miséricorde temporelle.

Je ne me suis pas donné la peine de lui répondre. D'ailleurs, il n'eût pas compris, tant il geignait, grognait et ahanait. Je suis donc resté seul avec Sylvaine dans la cuisine. Le spectacle était, de toute évidence, terminé et je ne songeais qu'à filer, d'autant plus que la perspective de casser la croûte avec un frocard me puait souverainement au nez. Et ne voilà-t-il pas que Sylvaine s'est mise en tête de le défendre ! Selon elle, je m'étais montré dur à son égard : ce pauvre abbé était rempli de bonne volonté. Il n'aurait pas fait de mal à une mouche...

La moutarde m'est montée au nez. J'ai répondu que j'ignorais le comportement habituel de l'abbé Aloysius Passetout à l'égard des insectes. Je lui accordais toutefois le bénéfice du doute : je supposais qu'il n'avait pas accoutumé de les injurier et de les traîner sur le plancher par les aisselles. Toutefois, à mon avis, cela ne constituait pas une excuse à sa conduite envers les humains. Il prenait de toute évidence un plaisir sadique à tourmenter Athanase en lui mettant, *primo*, des breuvages alcooliques à portée de la main ; puis en tâchant, *secundo*, de lui instiller des remords de conscience par des remarques fielleuses.

Mais Sylvaine ne m'écoutait pas. La poursuite de son café lui donnait un mal croissant. Elle fouillait vainement dans ses boîtes d'un air égaré : la boîte marquée *Coffee* contenait du sucre; celle *Tea*, de la farine; celle *Flour*, des beignets. Athanase avait encore dû le cacher, ce café.

— Il ne m'a jamais pardonné d'avoir un jour jeté sa planche et ses statuettes dans la poubelle. Il y avait de quoi pourtant. Ce matin-là quand je me suis levée, non seulement la planche, les capsules et les statuettes, mais une bonne demi-douzaine d'assiettes, réduites en morceaux, jonchaient le plancher. Alors, moi, j'ai tout foutu dans la poubelle. Ça ne m'a pas avancé d'ailleurs: le même soir ce pauvre abbé Passetout s'est amené avec une nouvelle planche sous le bras. En partant, il l'a ramenée au presbytère. Alors j'ai abandonné la partie, j'ai eu pitié de lui. Pensez donc, lui qui a le souffle court, transporter cette planche en plus de ses cinq bouteilles de vin! Ça pouvait nuire à sa santé... N'empêche que, depuis ce temps-là, le café est introuvable. J'ai beau intervertir le contenu de mes boîtes, Thanase finit toujours par le dénicher, car il est très intelligent. Et il le cache aux endroits les plus fantastiques! Je trouve ça quand même un peu fort, moi, un bâtisseur de gratte-ciel qui passe ses journées dans la cuisine à fouiller dans des boîtes, pas toi?...

Comme elle se mettait à quatre pattes et replongeait la tête dans son bahut, j'en ai profité pour filer à l'anglaise. Il était onze heures dix-sept. Dans le corridor, j'ai croisé le Passetout toujours renâclant. Il ne m'a pas salué. Je lui aurais volontiers foutu un gnon sur le museau, mais je craignais d'attirer, ce faisant, l'attention de Sylvaine et de retarder mon coucher. Je ne me suis quand même mis au lit qu'à minuit moins vingt-deux, c'est-à-dire soixante-huit minutes passé mon heure habituelle.

Je ne me croyais pas si crassement enrouctiné. Que je me sois éveillé le lendemain à six heures trente comme à l'accoutumée, cela ne m'a certes pas surpris: une carcasse de quarante-huit ans et sept mois n'acquiert pas de nouvelles habitudes du jour au lendemain. Ça, je le savais. Je savais aussi, grâce, si l'on peut dire, aux infects sandwiches que Paulo m'a contraint d'avaler durant six mois, que la dyspepsie exerce une influence néfaste sur le fonctionnement de l'esprit. Mais que je fusse incapable ce matin-là après un petit déjeuner standard, non pas de battre mon record, mais même de faire des additions à une vitesse moyenne, ça non, je ne m'y attendais pas et ça m'a donné un drôle de coup. Je me soupçonne d'avoir stupidement, sans m'en rendre compte, fricoté au fond de mon inconscient (pour employer un mot qui ne veut rien dire) l'illusion que ma mise à pied par le salopiaud de de Repentigny me permettrait d'accélérer mon rendement arithmétique. Comme je l'ai dit, la perte de mon job ne me préoccupait guère. Je n'avais même pas l'intention de m'en chercher un autre avant quelques semaines. Le salopiaud en effet, comme la loi l'y oblige, m'avait déjà fait remettre six semaines de traitement; il devait également me faire parvenir, en sus du montant de mes vacances annuelles ($272.00), mon fond de retraite accumulé depuis vingt et un ans, onze mois et douze jours à intérêt composé (c'est-à-dire $5 727.32). Je pouvais donc, sans perdre un sou, me la couler douce pendant un mois. C'est ce que j'avais sans doute « inconsciemment » compté faire. Me la couler douce: c'est-à-dire faire des additions, jouer des parties d'échecs mentales, fricoter même, quand je serais fatigué, de petits problèmes d'algèbre, de trigonométrie, de géométrie analytique, de différentiation, d'intégration, etc.

Comme je l'ai dit, une déception m'attendait. Quand j'ai vu que les additions, ça ne gazait pas, ni les parties d'échecs mentales, je ne me suis pas obstiné. Je me suis rabattu immédiatement sur les mathématiques. Au meilleur de mon souvenir, j'ai arrêté la formule du mouvement de spirale écrasée engendrant un tronc de cône renversé de révolution qu'Athanase avait effectué la veille antérieurement à son effondrement: soit

$$\frac{x^2 - d^2}{a^2} + \frac{y^2}{b^2} = \frac{z^2}{c^2}$$

Ce n'était pas malin, et pourtant m'eût-on posé le problème en termes purement théoriques, c'est-à-dire non raccroché au souvenir du spectacle de la veille, je n'aurais pas pu ce matin-là le résoudre, faute d'un minimum de concentration. Je m'en suis aperçu immédiatement après. Une fois le souvenir d'Athanase éliminé, des déplacements spatiaux autrement simples que le sien ne pouvaient retenir mon attention. C'était navrant.

Inutile de dire que ma rogne à l'égard du catarrheux avait suivi une courbe ascendante directement proportionnelle à mes difficultés, ou plutôt à mon impuissance, ou plutôt à la constatation de mon impuissance arithmétique, échiquéenne, géométrique, etc. Aussi, quand je me suis surpris à divaguer, puis à rager devant un problème de trigonométrie dont la compréhension ne requérait pas un quotient intellectuel supérieur à celui du Passetout, je me suis demandé si le temps n'était pas venu de rendre visite au garde-chiourme pour lui réclamer ma lettre de recommandation. Deux considérations m'ont retenu. Premièrement, comme je l'ai déjà indiqué, je ne fume presque jamais le cigare durant la matinée. De Repentigny m'avait contraint la veille, indirectement si l'on veut, réellement néanmoins, à déroger à cette habitude puisqu'il avait pris l'initiative, et choisi l'heure de l'altercation. Je refusais de lui céder aujourd'hui même l'ombre de cet avantage: j'allais le fumiger à mon heure. Deuxièmement, même si ma rogne avait déjà atteint un niveau respectable, je l'estimais susceptible de croître encore. C'est pourquoi, avec un mélange d'exaspération et d'expectative, j'ai ouvert mon cahier de vocabulaire, lequel, comme je l'ai indiqué, produit parfois chez moi un effet tonique, joue le rôle d'un coup de pied au cul. C'est à ce titre que j'ai eu recours à lui ce matin-là en prévision de ma petite visite au catarrheux. Mon cahier ne m'a pas déçu. Son action a été d'une vigueur, d'une efficacité admirables, inespérées. En le refermant, j'étais gonflé à bloc. À tel point que je n'ai pu, à midi vingt-cinq, avaler qu'un café et une moitié de pomme. Côté digestion, c'était de mauvais augure: la soirée me réservait sans doute une crise de dyspepsie maison. Je m'en foutais. On n'a rien sans peine. Le bronchitique n'avait qu'à bien se tenir. J'ai extrait un cigare de mon étui; je l'ai soulagé de son enveloppe de cellophane; je l'ai glissé dans ma poche-poitrine; j'ai vérifié le bon fonctionnement de mon briquet; j'ai enfilé mon paletot; j'ai ouvert la porte, et je me suis dirigé vers la *Plumbing Supply Company*.

Je n'ai malheureusement pas pu y parvenir sans accrochage. J'avais en effet parcouru environ les deux-tiers de mon trajet lorsque j'ai aperçu Paulo qui se dirigeait vers moi. À vrai dire « se dirigeait vers moi » constitue une façon lâchement approximative d'exprimer sa progression. Non seulement était-elle zigzagante et clopinante, mais il lui arrivait d'inverser sa direction par une série de pas reculants dont le nombre variait, en gros, de trois à huit. Je dis: en gros, car lesdits pas n'étaient pas faciles à compter, attendu qu'ils se composaient de trébuchements, de choppements et de piétinements indescriptibles. C'est dire que Paulo était rond comme un boudin. Pas au point, toutefois, hélas, d'avoir perdu l'usage de la vue. Car il me vit, et sa dégaine en accusa subito une accélération déplorable. Je n'ai pu, afin d'éviter un impact plus dégueulasse, qu'étendre les deux bras perpendiculairement à mes épaules pour freiner son élan. Puis je m'empressai de lui demander par quel hasard il flageolait ainsi dans les parages de la *Plumbing* et ce qu'il y foutait. En vitesse j'ai sorti mon mouchoir et me suis éloigné de trois pas.

— Je marche!... brama-t-il en déployant les bras comme un épouvantail.

Sa réponse n'avait heureusement pas comporté d'occlusives, l'émission desquelles — Athanase me l'avait démontré la veille — engendre des effets particulièrement désastreux. De peur qu'il ne prolongeât donc sa réponse, je me suis hâté de souligner à Paulo que si, par le vocable marcher, il voulait dire remuer alternativement les jambes l'une devant l'autre en station verticale, il lui prêtait de toute évidence une acception abusive.

Il a branlé quelques secondes son bonnet miteux comme s'il voulait évaluer la portée de ma définition. Il y est sans doute parvenu, car il a laissé tomber la déclaration suivante:

— Jérôme, tu me fais chier.

Mais ces mots, pourtant à mon sens assez explicites, n'ont pas paru le satisfaire, puisqu'il a ajouté:

— Tu peux te vanter d'être le paroissien qui m'a dans ma vie fait chier le plus généreusement.

En me gardant bien d'exagérer la valeur de mes mérites, je me suis déclaré enchanté d'avoir pu, ne fût-ce que sporadiquement, lui épargner l'achat d'un certain nombre de laxatifs. Je ne doutais pas en effet, ai-je poursuivi, que, vu sa constipation tant somatique que psychique, il ne dût faire un usage intensif de ce genre de médicament.

Mais là ne résidait pas, selon moi, le hic de notre contention. Il s'agissait de déterminer si Paulo avait employé le vocable « marcher » légitimement ou abusivement. Or, s'il acceptait comme base de discussion la définition que je lui avais proposée, il me paraissait bien que l'observateur le plus obtus n'eût pu décrire de la sorte les mouvements de translation farcesques que Paulo avait effectués avant de venir m'empoisonner par des propos orduriers. Voilà ce que je lui ai dit.

— C'est de la diarrhée, crachota Paulo. C'est du choléra. Voilà ce que c'est. Ça t'en bouche un coin, hein?

Il semblait très fier de sa trouvaille et voulut m'associer à sa jubilation en m'assénant une claque dans le dos. J'ai pu me reculer à temps et j'ai consulté ma montre: ça faisait huit minutes que nous étions plantés là, les pieds dans la neige, à ergoter. Il fallait mettre fin à cette palabre. Mon réservoir de rogne n'est pas inépuisable. Si j'en dispensais une trop grande quantité sur Paulo, c'était autant de perdu pour le catarrheux.

J'ai donc dit au sac-à-vin que je refusais de m'appesantir sur ses malaises physiologiques. J'avais abordé un simple problème de mécanique, à savoir, s'il était capable d'effectuer les mouvements nécessaires à un déplacement ambulatoire normal. Si donc il voulait bien essayer de progresser rectilignement jusqu'au coin de la rue, je tiendrais le fait comme probant et ne mettrais plus en doute son assertion antérieure: j'avais atteint mon but:

— Ah, tu t'imagines, Jérôme Chayer, que je suis pas capable de marcher! C'est ça qui te tarabiscote les méninges? Eh ben, tu vas voir!...

L'air d'attaque, le sourcil contracté, la paupière cillante, il se plaça au centre du trottoir, prit une large aspiration et se mit précautionneusement en branle en jouant des bras comme un funambule. J'en ai profité pour m'esquiver par une rue latérale.

— Monsieur... un petit moment.

Lucile Francœur, la standardiste, casquée de ses écouteurs, ne me regardait pas. Seule une légère torsion de son cou, aussitôt redressé, m'avait indiqué que le «monsieur» s'adressait à moi; le «petit moment», à son interlocuteur téléphonique. Le vibrateur résonna de nouveau, aigre, grinçant comme une sauterelle:

— *Plumbing Supply Company*, un petit moment, ne quittez pas.

Lucile débrancha un fil, planta une fiche mâle dans son tableau, actionna une manette. Par mimétisme, sa voix avait acquis le même timbre que la sonnerie.

— Pour vous, monsieur?... Monsieur Chayer! Quelle bonne surprise: c'est gentil de venir nous rendre visite si tôt.

Elle souleva son écouteur gauche pour se le coller au pariétal.

— C'est sans doute par nostalgie. Ça a dû vous donner un drôle de coup, pauvre vous, pas vrai?...

Sa bouche filiforme ébaucha un sourire acide, révélant l'arête de sa grande incisive droite taillée en fuseau. S'il se fût agi d'un accident récent, j'aurais pu lui retourner sa sympathie en m'apitoyant sur l' «effet catastrophique», question beauté, de cette irrégularité dentaire. Mais comme la fracture datait de loin, Lucile était sans doute, l'âge aidant, devenue imperméable à ce genre de remarque.

— D'autant plus, enchaîna-t-elle, que vous aurez sans doute une difficulté inouïe à vous trouver un autre poste, pas vrai? Sans lettre de recommandation surtout... comme ce pauvre Monsieur Bessière, quoi... Évidemment, il reste l'assurance-chômage, mais ça ne dure pas indéfiniment. D'ailleurs, je ne sais pas... il me semble que ça doit être humiliant d'aller mendier à ces bureaux... À propos, j'y pense: j'ai une cousine qui travaille là. Je pourrai lui dire un bon mot pour vous si vous voulez.

J'ai mis fin à son caquet en lui signifiant que, ce bon mot, elle pouvait aller le prononcer dans le bureau du sieur de Repentigny pour lui annoncer que j'avais moi-même deux mots à lui dire.

Lucile resta bouche bée quelques secondes, puis, les yeux écarquillés :

— Vous voulez voir Monsieur de Repentigny ? Pourquoi ? Si c'est pour essayer de ravoir votre emploi, je ne veux pas vous faire de peine, mais je sais que c'est inutile. Monsieur de Repentigny vient justement ce matin de commander une nouvelle machine à calculer.

J'ai répondu à Lucile que sa sollicitude, son empressement à me renseigner me touchaient, mais que, par mesure de prudence, elle ferait bien d'en garder en réserve à l'intention du sieur de Repentigny, attendu que je prévoyais que, à la suite de notre petite entrevue, il aurait besoin d'une main secourable pour lui procurer les premiers soins, ainsi que d'une voix amie, si grinçante fût-elle, pour appeler l'ambulance. Puis j'ai sommé de nouveau Lucile de m'annoncer téléphoniquement au catarrheux. Elle a refusé net : elle n'allait pas compromettre sa situation pour un maniaque de mon espèce. Je lui ai dit que nous nous reverrions ; que je connaissais le chemin ; que je regrettais seulement que, contre mon gré, ma visite allait profiter à des andouilles, des poules mouillées, des invertébrées, des lèche-bottes de son acabit, puis je me suis dirigé vers le cabinet du bronchitique. Lucile n'a pas levé le doigt pour m'arrêter. Dans son for intérieur, elle se réjouissait peut-être de mon incursion.

De Repentigny n'a pas levé la tête quand je suis entré. Ça ne m'a pas surpris : cette « inadvertance » ne constitue qu'un de ses moyens les plus bénins d'humilier ses subordonnés. Je l'ai observé quelques instants. Plié en Z, le coude gauche appuyé à un sous-main, les fesses en équilibre instable sur le rebord de son fauteuil à bascule, il scribouillait des pattes de mouche dans un bloc correspondance. Il se proposait sans doute d'engueuler sa secrétaire si elle ne parvenait pas ensuite à déchiffrer ses hiéroglyphes. À chaque branle de son chef parcheminé, le soleil, lamellé par le store vénitien, accrochait un éclair au binocle. Un dépliant publicitaire qui vantait les prouesses de la multiplicatrice *Duzitol* était étalé sur le bureau à dessus réniforme.

Je me suis approché à pas de loup et je me suis carré dans un fauteuil face au catarrheux dont seuls un froncement sourcillier et un plissement supplémentaire à la racine du nez me révélèrent que l'« inadvertance » devenait plus laborieuse. En même temps, les pattes de mouche s'accéléraient. C'était un spectacle agréable. Il n'a malheureusement pas duré longtemps, car tout d'un coup, après avoir imprimé à son stylo un mouvement vibratile, le catarrheux a ostentatoirement paraphé son hiéroglyphe. Je soupçonne et j'espère que sa lettre n'était point terminée, mais je n'ai pu le vérifier. Le garde-chiourme a en effet tout de suite redressé son crâne glabre, a dardé en ma direction ses yeux de poisson mort et il a croassé :

— Qu'est-ce que ?... Ça c'est le comble !... On aura tout vu !... Comme culot, vraiment...

L'indignation l'a empêché d'expliciter son bredouillis. Il a rageusement dardé la main en direction de son appareil téléphonique. C'était un mouvement que j'avais prévu. Bien que mon geste se fût, fatalement, déclenché quelques secondes après le sien, nos deux mains (sa gauche et ma droite) s'abattirent presque en même temps sur le récepteur, la mienne par-dessus la sienne (osseuse et glacée) et y exerçant une pression significative. Ce n'était pas un contact agréable, mais je n'ai rien laissé percer de ma répugnance.

J'ai déclaré au bronchitique d'un ton très calme qu'il

n'entrait pas dans mes habitudes d'arracher les fils téléphoniques ; que je ne le ferais qu'en cas de nécessité absolue, et
que je lui serais conséquemment reconnaissant de bien vouloir m'épargner cette corvée en agissant — je m'excusais de
lui suggérer une ligne de conduite si contraire à ses habitudes — comme un être raisonnable.

C'est alors qu'il a, à mon grand soulagement, retiré sa
main du poste mobile. Il s'est ensuite levé d'un bond et il a
fait un pas en direction de la porte pendant que moi, lon-
geant au pas de course la demi-circonférence gauche du bureau réniforme, je venais me camper en face de lui sur sa
ligne de parcours entre le fauteuil et la porte. J'ai ensuite
exprimé l'avis que, attendu que notre colloque allait sans
doute se prolonger un bon quart d'heure, il serait à la fois
moins fatigant et plus amène tant pour lui que pour moi de
le poursuivre en station assise.

Le catarrheux a reculé d'un pas et s'est laissé tomber
dans son fauteuil pendant que moi, l'appareil téléphonique à
la main, je relongeais la demi-circonférence du bureau pour
regagner mon siège.

De Repentigny a alors pris la parole :

— Inutile de vous dire, Monsieur, que, si je cède pour
l'instant à la contrainte physique que vous m'imposez, vous
n'en devrez pas moins rendre compte de votre conduite devant les tribunaux avant d'aller croupir en prison, ou, ce qui
est plus probable, dans une maison d'aliénés.

Comme je ne voulais pas recourir à des remarques trop
cinglantes avant de l'avoir derechef fumigé, je me suis
contenté de le prévenir que, question aliénation mentale précisément, j'avais l'intention — d'accord, cela allait sans dire,
avec tous mes ex-collègues — de présenter une pétition au
procureur général afin d'assurer son (à de Repentigny) inter-
nement pour cause d'imbécillité à caractère paranoïaque.
Préalablement toutefois, j'entendais profiter des quelques

heures où il jouissait encore de sa responsabilité juridique pour lui formuler quelques petites réclamations.

Là-dessus, le catarrheux a arqué ses lèvres grisâtres en un rictus pour déclarer:

— Monsieur, votre délire m'intéresse. Quelles sont vos « réclamations » ?

Je lui ai dit que, s'il voulait bien prendre une plume et du papier, j'allais l'édifier incontinent. Sur ce, le garde-chiourme s'est croisé les bras d'un air de défi. L'entrevue prenait une tournure plus satisfaisante. Il ne voulait pas prendre note tout de suite de mes exigences? Très bien! J'avais tout le temps nécessaire, attendu que, par une heureuse coïncidence, je me trouvais temporairement sans emploi. J'allais donc lui énumérer, rapidement d'abord, mes réclamations, quitte à y revenir ensuite plus en détail.

J'enjoignais donc au sieur Théodore de Repentigny, président et principal actionnaire de la *Plumbing Supply Company*:

Premièrement, de me donner une lettre de recommandation, laquelle, connaissant sa nullité stylistique, je m'engageais à lui dicter *in extenso;*

Item: de me verser mensuellement jusqu'à la fin de mes jours la somme de $208.16, laquelle représentait 66 2/3 pour cent de mes traitements à la date où il m'avait rendu l'inestimable service de me mettre à la porte — c'était d'ailleurs en considération dudit service que mes réclamations étaient si modestes;

Item: de me payer également, mais cette fois en espèces sonnantes et trébuchantes, à titre compensatoire, la somme de $5 000.15, les cinq mille dollars, d'une part, représentant l'indemnité que j'exigeais pour les paroles inqualifiables et préjudiciables à ma réputation qu'il avait prononcées la veille en présence de nombreux témoins, les quinze cents, d'autre part, représentant le prix courant du panatella havanais dont il m'avait brutalement soulagé à la même occasion (à ce stade de mon compendium, j'ai sorti de ma poche-poitrine mon cigare d'attaque et je l'ai brandi sous le nez du catarrheux);

Item: de me faire, en présence des mêmes témoins que la veille et au même endroit, des excuses publiques que, eu égard encore à sa nullité tant stylistique qu'imaginative, je m'engageais également à lui dicter *in extenso*.

Au cours de mon énumération, de Repentigny s'était peu à peu accalmi. Je me suis donc arrêté et j'ai ressorti mon cigare.

— Avez-vous fini? me demanda-t-il d'un ton glacé.

Je lui ai répondu que non. Comme je le lui avais expliqué, je m'étais contenté de lui donner un compendium de mes exigences. S'il voulait bien maintenant prendre la plume, je lui fournirais les détails supplémentaires requis. Ce disant, j'ai allumé mon cigare et j'ai émis une molle bouffée dans sa direction. Ladite bouffée m'a convaincu une fois pour toutes que, relativement imperméable aux traits verbaux les mieux décochés, le bronchitique était incapable par contre d'affronter la fumée. Il s'est levé et s'est mis à marteler frénétiquement le bureau de son poing noueux et veinulé. Il criait:

— Butor! Salopiaud! Mufle! Malappris! Ostrogoth! Surcon! Je vous interdis formellement de fumer dans ce bureau! Voilà trente ans que je l'occupe, et jamais je n'ai toléré qu'un malotru, un voyou, un goujat, un... abruti, un... crotteux... un... un...

La chasse aux vocables péjoratifs lui donnait un mal croissant. Son débit ainsi que sa respiration devenaient de plus en plus laborieux. Pour le tirer d'embarras, j'ai suggéré que « mal-chié » était peut-être l'expression qu'il cherchait. J'avais deviné juste. Ce participe substantivé apparut lui insuffler un nouvel élan. Il a même cru bon de l'étoffer en agglutinant à l'adverbe qui le modifiait un préfixe superlatif.

— Un mal-chié — parfaitement! Un super-mal-chié, Monsieur, voilà ce que vous êtes, un super-m...

Une quinte de toux râpeuse provoquée par un jet fumifère stratégique a interrompu sa période. J'en ai profité pour lui faire observer que selon moi — qui n'étais pourtant pas puriste: témoin le nom composé que je lui avais suggéré — l'adjonction à caractère agglutinant du préfixe prépositionnel *super* était contraire à l'esprit de la langue. On aurait peut-être pu, à la rigueur, tolérer chez un Français une pareille licence (qui eût été d'ailleurs nettement argotique); mais nous, Canadiens à tradition linguistique précaire, sans cesse menacée de contamination, nous ne pouvions nous permettre ces libertés morphologiques.

Ma mise en garde, pourtant pertinente, n'a pas paru impressionner le bronchitique qui, en guise de réponse, a saisi son encrier et l'a lancé, sinon avec précision, du moins avec vigueur dans ma direction. Dès que le projectile m'eût dépassé, j'ai tourné la tête pour le voir s'écraser sur le mur en une macule amiboïforme à pseudopodes démesurés. Ma curiosité a failli me coûter cher: bien que la torsion de mon cou n'eût duré que quelques secondes, l'escogriffe, quand je me suis déviré, avait déjà franchi la demi-distance qui sépare son bureau de la porte. J'allais m'élancer tête première à la façon d'un joueur de rugby pour plaquer le fugitif, quand la porte s'ouvrit avec violence pour livrer passage à un Paulo plus flageolant, plus dépenaillé que jamais, et s'écriant de sa bouche garnie de chicots:

— Tu vois, Jérôme! je marche! Je remue... alternativement les j... Mais qu'est-ce que tu fous ici?... C'est le dernier trou où j'imaginais te dénicher... Je t'ai cherché par...

Seulement alors parut-il s'apercevoir de la présence du bronchitique:

— Ah! v's-êtes là aussi, vous! Ça tombe bien. J'ai à vous causer dans le blanc des yeux!

Paulo courut alors (ou voulut courir : en fait, sa translation présentait un caractère hybride, à mi-chemin entre la marche et la course) claquer la porte sur le nez d'un ramassis de curieux qui se pressaient dans l'antichambre sans oser entrer.

Le catarrheux parut voir dans l'entrée de Paulo un coup monté, le résultat d'un sinistre complot. Le teint cendreux, la démarche ataxique, il recula de trois pas, comme assommé d'un horion péremptoire.

Vu qu'il n'était plus nécessaire pour l'instant ni de le garder à l'œil ni de le fumiger, je me suis rassis tout en ayant soin, par mesure de prudence, que mon cigare ne s'éteignît pas.

Paulo, lui, semblait gonflé à bloc. La babine arquée, l'œil assassin, le poing clos, il lança au foireux d'une voix canaille :

— ...Ce que t'as à dire, toi, le mac ?

Bien que sa margoulette se mût à un rythme étonnant, le «mac» n'avait, de toute évidence, rien à dire : ce qui eut pour effet d'exacerber la rogne de Paulo, lequel, sans doute à court de vocables idoines à exprimer sa pensée, lui décocha un coup de pied en direction du cul. Je dis : «en direction de» seulement, car, bien que le contact eût lieu, il se situa, autant que j'en pus juger, plutôt au niveau de la région lombaire (inférieure) que de la fessière (supérieure). Il n'en produisit pas moins des résultats appréciables, dont le premier fut de tirer, du moins partiellement, le catarrheux de sa transe, lequel se mit à sabrer l'air de larges moulinets somnambuliques ; le second, de lui faire émettre des vociférations aussi remarquables par leur intensité que par leur incohérence. Mais cependant que, d'une part, le bronchitique manifestait ainsi des symptômes trompeurs de *delirium tremens*, le soiffard, d'autre part, à la recherche (sans cesse déçue) de son équilibre, dinguait d'une façon clownesque :

preuve non équivoque de la détermination, de la force de volonté qu'avait exigées sa ruade.

Les évolutions respectives des deux gladiateurs offraient donc un spectacle du plus haut intérêt. Elles péchaient toutefois par leur manque de cohésion. Que le soiffard et le bronchitique brûlassent l'un et l'autre d'entrer de nouveau en contact, le coup de pied du premier et les moulinets du second en témoignaient péremptoirement. Pourtant, la distance qui les séparait allait croissant, de Repentigny (dont le lorgnon ballait au bout de son cordon) multipliant dans le vide ses swings éperdus; Paulo, le bonnet rabattu sur le nez comme un couvercle, jouant plutôt des membres inférieurs que des supérieurs. Qu'ils eussent néanmoins fini par se rejoindre, cela paraît probable, vu l'exiguïté relative de l'espace où ils se déplaçaient. Mais dans combien de temps? — La réponse restera à jamais dans le domaine des hypothèses. Je m'explique: au moment où Paulo paraissait en passe de se stabiliser et où de Repentigny, interrompant ses flexions brachiales, cherchait à rattraper son pince-nez, la porte se rouvrit, cette fois pour livrer passage à une Sylvaine affolée qui cria:

— Sauvez-vous, Monsieur Chayer! Lucile vient d'appeler la police!

Cette nouvelle eut pour effet de redonner à Paulo un équilibre et une lucidité relatifs. Il exprima sur-le-champ l'avis que, vu la grossière intrusion dont nous étions victimes, il était sans doute plus indiqué de remettre l'entretien à une date ultérieure. Puis, passant de la parole aux actes, il s'élança au pas de demi-course vers la porte, bouscula Sylvaine, fendit la presse des abrutis qui végétaient dans l'antichambre, et disparut au tournant du corridor, non sans avoir gratifié au passage Lucile Francœur d'une bordée d'injures.

Le catarrheux, lui, le binocle chevauchant derechef la lame de couteau qui lui tient lieu de nez, avait recouvré l'usage de la parole:

— Malotru, malappris, paltoquet, salopiaud, butor, ostro-goth, maroufle, voyou, abcès, cancer, pouilleux, vermine, trou d'évier, ordure... mal-chié! débitait-il à l'adresse du fuyard.

Tout en félicitant le binoclard de n'avoir point, cette fois-ci, compromis l'efficacité de son dernier vocatif par l'ad-jonction d'un préfixe aberrant, je me suis permis de lui sou-ligner que, d'autre part, son chapelet d'invectives présentait des caractères pléonastiques, voire écholaliques inquiétants. C'est pourquoi, en attendant qu'il eût fourbi, émondé, affûté son vocabulaire, je jugeais préférable, à l'instar de Paulo, de remettre à plus tard la reprise de notre colloque. Le garde-chiourme n'a pas tenu compte de ma mise en garde:

— Gredin, butor, goujat, salopiaud, trou de vidange, égoût, chasse d'eau, maroufle, ostrogoth, pustule, gangrène, excroissance, tumeur, cancrelat, punaise, enculé, cabinet d'aisance, *sous*-vermine, *ultra*-dépotoir, *infra*-rinçure de bi-det, *multi*-con, *super*-mal-chié! dégoisait-il avec une incor-rection à faire bondir même un académicien canadien.

Je l'ai laissé à sa crise de logorrhée. J'ai à mon tour, en jouant des coudes, franchi le troupeau d'avachis qui jabot-taient dans la salle d'attente et j'ai attaqué le couloir. Je ne tenais pas à goûter au panier à salade. En effet, après les calotins et les directeurs de sociétés de tuyauterie, ce sont les bourriques que je blaire le moins. Cependant, Sylvaine m'avait suivi. Elle avait un message important à me trans-mettre. De la part d'Athanase, sur lequel j'aurais «positive-ment et définitivement» produit une «impression bœuf» et qui ne vivait plus que dans l'espoir de me revoir.

— Vous viendrez encore nous rendre visite bientôt, n'est-ce pas, Jérôme? insista Sylvaine en me posant la main sur l'avant-bras. Il s'ennuie tellement à la maison. Pensez donc! Un cerveau comme le sien, passer ses journées à cacher des sacs de café. Tu reviendras, n'est-ce pas?

Je lui ai répondu que c'était dans le domaine des possibilités, mais que, malgré le charme puissant d'Athanase, la présence quotidienne chez elle du ratichon Passetout rendait ma visite problématique. N'était-il pas plus indiqué qu'elle-même, Sylvaine, passât chez moi où régnait une atmosphère plus propice aux épanchements?

Le temps d'accentuer le biais de son sourire, l'éclat de ses yeux et la pression de sa main sur mon avant-bras, et Sylvaine a déclaré que j'avais raison, que son affection pour «ce pauvre Athanase» l'avait aveuglée, que, vu la situation difficile que je traversais et où je m'étais d'ailleurs conduit en héros, oui, en véritable héros — le terme n'était pas trop fort — elle comprenait très bien que j'éprouvasse le besoin de lui ouvrir mon cœur dans l'intimité.

— Va, Jérôme, je ne t'abandonnerai pas! Ne crains rien. Tu peux compter sur moi.

Pour me prouver à quel point elle s'intéressait à mon bien-être, elle m'apporterait même son brouillard d'inventaire. Le travail de comptabilité devait me manquer cruellement et elle espérait que cette petite besogne contribuerait à adoucir ma nostalgie. Serais-je à la maison ce soir?

Je lui ai assuré que oui; je l'ai remerciée de ce nouveau témoignage de sollicitude, et je suis sorti.

Juste au moment où je mettais pied sur le trottoir, j'ai vu le car cellulaire qui, tous pneus crissants, effectuait un virage acrobatique à l'intersection des deux rues adjacentes à la *Plumbing Supply Company*. J'ai décidé d'attendre et, sitôt que le panier eut stoppé devant moi, j'ai avisé un flicard à teint d'apoplectique et à pif bulbeux que l'incident qui nous valait sa visite ne se déroulait pas à la *Plumbing*, mais bien en face, à la *Montreal Corseting Manufacture*; que, de plus, il ne s'agissait pas d'une simple altercation, mais bien d'un

114

hold-up en bonne et due forme. Aux dernières nouvelles, trois types, dont le directeur, étaient restés sur le carreau baignant dans leur sang. C'était par miracle qu'une sténo avait réussi à s'échapper pour courir à la *Plumbing*. Si nous n'avions pas jugé bon d'expliquer par téléphone aux «gardiens de la paix» le sérieux du différend, c'était de peur que, selon leur habitude, ils ne prévinssent les bandits de leur arrivée par un hurlement de sirènes audible à dix lieues à la ronde et ne leur donnassent, ce faisant, la chance de filer.

Le pied-plat est resté immobile quelques secondes comme pour laisser à mes informations le temps de pénétrer dans son hypothétique matière grise, puis il m'a lancé en sortant son révolver de son étui:

— Ah, v's-êtes ein chiâleux, ein râleux, ein rouspéteur, vous!... eh ben, j'ai vot' numéro, *watch out*. On va se revoère.

Je lui ai crié qu'il était toujours plus facile d'insulter un honnête citoyen sans défense que de faire face à des malfaiteurs, mais il ne m'entendit pas. Suivi de deux autres bourriques, il traversait la chaussée au pas de course. Je ne me suis pas attardé pour connaître le résultat de leur descente. D'autant moins que deux badauds voulaient m'accoster pour me soutirer des renseignements.

Comme de bonne, Paulo m'attendait un demi-îlot plus loin. Il s'est tout de suite mis à m'asperger avec vigueur:

— Sarpent, Jérôme! Tu m'as fait suer du sang de cochon! Quand je t'ai vu jaspiner avec la vache, je me suis dit: «Ça y est, c'est la·tôle!» D'autant que la vache, elle, avait le pétard dans la pince. Comment tu t'en es tiré, sarpent?

Ça ne valait pas la peine de répéter à Paulo des remarques dont le mordant lui eût échappé. J'avais simplement, ai-je déclaré, signalé au flicard qu'on présentait une séance d'essayage à la *Corseting* et que c'était un spectacle qui, sans valoir le *strip-tease* classique, ne manquait pas d'intérêt.

Paulo a pigé formidablement: son rire, un rire entrelardé de hoquets et de quintes de toux, s'est dégraffé, amplifié, déployé, interminable et cahoteux. C'était autant de gagné: quand il se marre, il ne crachote pas. Dès qu'il eut fini, et tout en s'épongeant les yeux d'un torchon grisâtre, il a émis l'avis suivant:

— Jérôme, t'es un cochon: je l'ai toujours dit et c'est un fait reconnu. Mais un cochon qui a du ciboulot, ça, y a pas d'erreur. C'est un fait reconnu.

Il a repris en mineur sa rigolade, puis il a glissé dans les réminiscences:

— Non, mais quand j'y repense, Jérôme, mon coup de pied dans le cul du Repentigny, était-il d'aplomb ou ben était-il pas d'aplomb? J'en ai donné des tas dans ma vie, de coups de pied au cul, et, sans me vanter, il y en avait qui étaient pas piqués des vers; mais d'aplomb comme celui-là, non, jamais, je t'en passe un...

Je ne l'ai pas laissé continuer. L'imprécision a des limites. Je lui ai demandé s'il faisait allusion à l'attouchement de l'extrémité de son couvre-chaussure et de la région lombaire inférieure du patron. Dans ce cas, parler de «coup de pied au cul» et d'«aplomb», c'était proprement déconner.

Paulo ne riait plus, bien au contraire. Mais sa curiosité intellectuelle endigua un instant le flot de son indignation, car il me demanda ce que je voulais dire par «région lombaire inférieure». Quand il eût appris qu'il s'agissait des reins, il déclara sans hésitation que j'étais un dégueulasse de la plus ignoble espèce, que je mentais comme cinquante mille arracheurs de dents et que, si je doutais de l'efficacité de ses coups de pied au cul, il m'en donnerait sur-le-champ une démonstration sans réplique et, en même temps, pour comble d'illogisme, c'était les bras qu'il agitait.

Comme je ne voulais pas me bagarrer avec Paulo, qui est après tout un raseur moins antipathique que la plupart, j'ai orienté sa pugnacité dans une autre direction: selon moi, la démonstration qu'il envisageait sur ma personne manquerait de probant, attendu que les sensations tactiles, surtout les douloureuses (il ne fallait pas malgré tout écarter l'hypothèse selon laquelle les miennes, au cours de l'expérience projetée, seraient de cette nature), sont d'ordinaire plus diffuses que les visuelles. Afin donc de régler le débat une fois pour toutes, il me paraissait plus prudent, plus scientifique de renouveler la tentative sur le même cobaye que la première fois: en l'occurrence, le sieur Théodore de Repentigny, notre ancien patron.

Paulo a tout de suite abondé dans mon sens. Sa soif de connaissance l'incitait même à retourner illico à la *Plumbing*.

J'ai dû lui rappeler que, la séance d'essayage de la *Corseting* étant sans doute ou terminée ou sur le point de l'être, les bourriques, selon toute vraisemblance, dirigeraient bientôt leurs pas vers la *Plumbing*, ce qui nous empêcherait de mener notre expérience avec la tranquillité désirable.

Paulo en a de nouveau convenu de bonne grâce, puis il a déclaré que notre discussion lui avait rendu le gosier sec comme un rond de poêle. Avais-je point de gniole dans ma piaule?

Je lui ai dit que, malheureusement, je n'en avais pas.

Paulo s'est alors, d'un air méditatif, introduit la main sous son bonnet pour se gratouiller le sinciput, ce qui lui a donné l'inspiration qu'il cherchait:

— Bon, alors, on va aller chez Thanase. Lui, je le connais. Quand il a pas de gniole, il s'arrange toujours pour en trouver. Qu'est-ce que t'en dis, Jérôme? C'est-il une bonne idée ou c'est-il pas une bonne idée?... D'autant plus que je lui ai causé, au Thanase, ce matin par téléphone. Paraît que t'es allé là hier?... En tout cas, il veut te revoir. Absolument. Il a des choses, qu'il m'a dit, à te dire, des choses qui vont te surprendre...

Il était trois heures trente-deux. Comme je n'avais rien bouffé, ou à peu près, avant mon saut chez le bronchitique, j'avais l'estomac creux. Manger solitairement ne me souriait pas; seul avec Paulo, encore moins. Je lui ai donc demandé si, selon lui, le fait d'apporter chez Athanase un quelconque amuse-gueule froisserait ce dernier.

— Ben sûr que non, Jérôme! Thanase n'est pas un zigue à cheval sur les conventions. Ça lui fera plaisir. À la bonne franquette lui, c'est comme ça qu'il aime ça.

Je suis donc allé cueillir une couple de sandwiches au bœuf mariné dans un *delicatessen*, puis nous nous sommes mis en route.

Bessière nous a reçus en chemise sport vert saule à col évasé et en pantalon de gabardine d'un pli impeccable. Rasé de frais, la chevelure lustrée, le geste sobre, il ne rappelait plus l'Athanase de la veille que par les craquelures de son visage et sa façon télégraphique de s'exprimer:

— Monsieur, Paulo. Surprise agréable. Vestiaire à gauche. Veuillez débarrasser.

Une fois que nous fûmes dépiautés, Bessière nous a d'un geste indiqué le salon. Le tapis, la garniture du sofa, les deux fauteuils étaient élimés, délavés, mais propres. Athanase, qui connaissait tous les secrets de l'aspirateur, avait dû les nettoyer le matin même. Assis, jambes croisées, doigts entrelacés, notre hôte restait lèvres cousues. J'allais lui demander la permission de déballer mes sandwiches, car j'avais faim, quand il nous a finalement télégraphié:

— Excuses: rien à boire: ennuyeux.

— Tu l'as dit, approuva Paulo. C'est pas gai. Pour un gars en vacances comme moi surtout. Tu sais peut-être pas que le salaud de de Repentigny m'a foutu à la porte ? Puis Jérôme, la même chose.

— Au courant, dit Thanase. Sylvaine rapporteuse première force.

— L'emmerdement, dit Paulo, c'est que le cochon, il m'a pas encore payé ni remboursé mon fond de retraite.

— Grippe-sous infect, dit Thanase.

— Tu peux le dire, dit Paulo. Un maudit tondeur d'œufs comme ça, faut voyager un sarpent de bout pour en trouver un pareil.

— Grigou dégueulasse, dit Thanase.

— Tu peux le dire, dit Paulo.

Le silence de nouveau se creusa. Bessière était immobile comme une statue ; Paulo se tiraillait la lippe de ses doigts douteux. Je me suis fait la réflexion que le parler elliptique d'Athanase constituait une découverte de première force. Pas toujours efficace peut-être quand il s'agissait d'enguirlander les gens, il était plus que suffisant pour exprimer toutes les fariboles standard. Alors j'ai dit en sortant les sandwiches de ma poche : « Permettez ? Estomac dans les talons... pas déjeuné. » J'aurais aimé calculer le nombre de mots que je m'étais épargnés en télégraphiant de la sorte. Je n'en ai pas eu le loisir :

— Faites, répondit Athanase. Moi, jamais entre les repas. Malsain. Mais faites.

J'ai « fait » pendant que Bessière, statuesque, réintégrait son silence. C'est Paulo qui l'a rompu :

— 'Coute donc, Thanase, on pourrait peut-être ben aller en chercher, de la gniole ? La Commission est à deux pas. Je te le dis net sec, moi, c'est pas compliqué, j'ai le gosier comme un rond de poêle. Pour un gars qu'est en vacances, c'est pas gai.

— Sympathies, dit Thanase, mais pas un rond. Sylvaine tout emporté : distraction, tête de linotte.

Il se tourna vers moi pour s'enquérir :

— Sandwiches cœur au ventre ?

Je lui ai assuré que, en effet, « cœur au ventre ». Il continuait à me dévisager. Il a les yeux vrillants, d'un noir intense. On aurait juré que son estomac criait famine. Finirait-il par me demander de l'argent ?... Mais non : au bout d'un moment il s'est contenté d'ajouter :

— Moi jamais entre les repas. Ex-trê-me-ment malsain.

J'ai apprécié l'obliquité et le lapidaire de sa pointe. Sans un mot, j'ai déposé mon sandwich devant moi sur la table à café ; j'ai sorti cinq dollars de ma poche, je les ai tendus à Paulo qui les a happés également en silence et s'est précipité vers le vestiaire. Moi, je surveillais Athanase. Il est très fort : pas un trait de sa figure n'avait bronché. Il s'est simplement calé dans son fauteuil, a dénoué les mains, posé les avant-bras sur les accoudoirs.

La porte claqua derrière Paulo. Je me suis remis à manger. Une nouvelle passe d'armes était inévitable. J'étais donc sur mes gardes. Et malgré tout — je l'avoue en toute humilité — l'attaque d'Athanase, tant par l'imprévu du fond que par le frappant de la forme (par contraste avec le télégraphisme antérieur), m'a déconcerté, interloqué un bon moment :

— Une coucherie avec Sylvaine vaut bien une bouteille de whisky... n'est-ce pas votre avis, Monsieur Chayer ?

J'ai dû tiquer ; davantage : grimacer. La « rapporteuse première force » avait-elle rapporté à ce point ? Les commissures d'Athanase ont esquissé un retroussis. À cause de ma contraction faciale ? — En tout cas, je me suis plus ou moins ressaisi et j'ai dit :

— Sans l'ombre d'un doute. D'autant plus qu'une bouteille, quand elle est vide, elle est vide ; tandis que... n'est-ce pas ?...

Ma réplique n'était point de la dernière finesse, je m'en rends compte. Mais sur le coup je n'ai rien pu trouver de plus brillant. Athanase a dû quand même y discerner un certain piquant puisqu'il a télégraphié :

— Offrirai félicitations Sylvaine : attrapé type plus intelligent que prédécesseurs...

J'ouvrais la bouche pour le remercier de son compliment quand il a ajouté :

— Nombreux. Impossible dresser liste complète.

À la lumière de cet appendice, j'ai cru séant d'informer Athanase que je ne me targuais pas d'originalité ; que, contrairement à nos ancêtres, je ne me sentais nulle vocation de pionnier, de défricheur. Je m'accommodais très bien des sentiers battus, voire des trottoirs. À défaut de jouissances spectaculaires, interdites à mon âge comme à mon tempérament, j'y trouvais parfois des douceurs appréciables.

Au lieu de considérer ma réponse dans son ensemble, Athanase s'est limité à un seul détail. Il a déclaré :

— Rapprochement tapé ! Sylvaine, trottoir : identité absolue.

J'ai cru bon de le mettre en garde contre l'interprétation, sinon tout à fait erronée, du moins excessivement littérale qu'il avait donnée à mon trope. Même en laissant de côté les idées d'exploration et de défrichement (qui appartenaient d'ailleurs à une phrase antérieure), il ne fallait pas oublier que le terme « trottoirs », dans mon exposé, suivait immédiatement l'expression « sentiers battus », ce qui nous interdisait de lui prêter une acception autonome et limitait singulièrement la nuance vénérienne qui avait paru frapper Athanase à l'exclusion de toute autre. Il ne fallait pas oublier non plus, d'autre part, que je n'avais pas connu Sylvaine sur le trottoir, mais bien à la *Plumbing Supply Company*, maison qui, je l'accordais sans peine, au point de vue aménité et *standing*, se situait nettement au-dessous des trottoirs, mais dont le négoce différait néanmoins du tout au tout de celui qui s'effectue sur les trottoirs proprement dits.

Athanase, qui avait pourtant fait montre d'une attitude compréhensive au premier stade de la discussion, opposa une fin de non-recevoir absolue à mes ultimes distinguo. À l'entendre, Sylvaine et trottoir étaient non seulement des termes de même niveau, mais, à toutes fins pratiques, synonymes. Tout au plus m'accordait-il que « Sylvaine Bessière » en sa qualité de bipède pratiquait à l'occasion, et d'ailleurs à son corps défendant, la station verticale alors que « trottoirs : horizontalité constante ».

Refusant de le suivre sur ce terrain, j'ai émis l'hypothèse que c'étaient ses sentiments (indignes à mon sens d'un scientifique de son envergure) et non pas sa raison qui lui dictaient des affirmations aussi extravagantes.

Bessière s'échauffait à vue d'œil. Sa logique s'écroulait au même rythme. Selon lui, par une fixation infantile, inattendue chez un « sexagénaire de mon instruction, en pleine décadence, certes, mais dont on ne soupçonnait pas à première vue le gâtisme », j'effectuais à jet continu « enculages de mouche sublimés ».

Quand·je me suis rendu compte que le cocu était en plein déconnage, je lui ai servi un argument *ad hominem* : je me suis déclaré navré que son impuissance datât de si loin.

Cette repartie lui en a bouché un coin. Il a repris sa pose de statue égyptienne, pieds joints, mains aux genoux, buste roide, regard fixe et absent. Je me suis dit que j'y étais peut-être allé un peu fort. À mesure que le silence se prolongeait, je me rendais compte qu'une reprise de la conversation, sauf pour échanger des banalités, devenait de plus en plus improbable. Dire que je le regrettais serait une exagération. Et pourtant... pourtant j'éprouvais une espèce de sympathie pour le soiffard cocufié. Pourquoi ? Parce que je me trouvais en présence d'un raté authentique ? D'un raté qui avait bâti (ou se l'imaginait) autrefois des gratte-ciel, et qui maintenant ne faisait rien, et que sa femme trompait?... J'ai repensé à Gilberte, la poule (ou, du moins, la demi-poule: la distinction entre les deux catégories est difficile à établir) qui m'a plaqué voilà vingt-huit ans et quatre mois. Puis je me suis ressaisi. J'ai fini mes « sandwiches-cœur-au-ventre » ; j'ai rallumé le cigare qui m'avait servi à fumiger le catarrheux en me disant que, après quelques bouffées, je lèverais l'ancre.

— Mon cher Monsieur... Chayer, a dit alors Thanase, je vais vous parler franchement.

De quoi retournait-il? Il ne parlait plus télégraphiquement, ce qui, chez lui, semble exprimer une intention d'insulter son interlocuteur avec un soin particulier; ou bien, peut-être, comme il l'avait affirmé, de « parler sérieusement ». Je l'ai dévisagé: toujours la même pose de statue égyptienne.

— Je ne vous connais pas, a-t-il continué, ou, plutôt, seulement par les racontars de Sylvaine, plus remarquables, vous le savez, par leur verbosité que par leur valeur informative. Néanmoins, par recoupements (il m'arrive, comme ça, par désœuvrement, de... tisser certaines hypothèses autour d'un inconnu), je vous avais conçu étonnamment semblable à ce que vous êtes: d'une intelligence au-dessus de la moyenne (ne prenez pas cela pour un compliment: moi aussi, je suis intelligent, et voyez ce que je suis devenu), au-dessus de la moyenne, oui, mais volontairement raccornie, desséchée — réduite au rôle, 1) de machine à calculer; 2) d'appareil à insulter les gens, à leur témoigner le mépris le plus absolu. C'est ce dernier trait qui m'a inspiré le désir de vous connaître...

J'étais tout oreilles. Il est toujours intéressant de se faire déboulonner avec méthode et précision: on peut ensuite se vilipender à meilleur escient, ce qui constitue la protection optima contre les désillusions. Mon instinct ne m'avait pas trompé au sujet d'Athanase: nous étions des âmes sœurs, nous macérions dans le même jus. Témoin, son apophtegme suivant:

— Il n'est pas facile, en effet, de rencontrer des types qui vous méprisent à votre juste valeur: cela exige un flair et une mesquinerie qui sortent de l'ordinaire.

Athanase s'estimait, à ce point de vue, mal servi, Sylvaine, d'une part, ayant une cervelle de linotte et une malice limitée à l'entre-jambe; Passetout, d'autre part, pas de cervelle du tout, et le mordant d'un mollusque anesthésié.

Il ne m'appartenait pas de déterminer à quel niveau se situait la malice ou le discernement de Sylvaine. Par contre, j'ai accordé sans peine à Bessière que le développement mentonnier du Passetout éclipsait celui de son encéphale.

Mais Athanase n'accordait de toute évidence à ce constat qu'une importance marginale. Pour l'instant, c'est à lui-même qu'il en avait. Afin de me faire apprécier «ampleur d'avilissement», il a jugé nécessaire de «résumer deux mots sa vie». Je connaissais assez les adeptes de l'exhibitionnisme pour comprendre que «résumer deux mots» dans le présent contexte appartenait à la figure de style dite exténuation. J'ai donc allumé un second panatella; j'ai, tant bien que mal, réajusté mon postérieur au coussin remarquablement accidenté de mon fauteuil, et j'ai écouté une narration hybride, mi-télégraphique, mi-standard, qui ne manquait pas de pittoresque.

Tout d'abord, Athanase — il l'avouait en toute bassesse — n'avait jamais bâti de gratte-ciel. Au début de sa carrière, ses activités s'étaient bornées «érection boîtes cubiques infectes: soi-disant maisons région montréalaise». Athanase, il va sans dire, visait plus haut. À la suite «efforts acharnés, boulot forçat», il avait atteint «idéal architectes amérindiens: édifices angles droits toujours mais faces oblongues au lieu carrées». Il s'agissait de maisons de rapport et de buildings.

Sa firme — américaine naturellement — était contente de lui: elle faisait beaucoup d'argent. Athanase en faisait moins, forcément, mais assez pour vivre à l'aise. Toutefois «en qualité idéaliste», il visait encore plus haut. Il rêvait — «une fois vie homme, raisonnable, non?» — de remplacer «arête quelconque boîte par ligne courbe ou brisée».

— C'est alors, Monsieur, que la *Boosting Construction Limited* eut à faire une soumission pour la construction d'un ponceau et me confia ce travail. Ce ponceau et les deux ponts subséquents avaient marqué pour Athanase «commencement fin carrière». Voici comment le passage du stade actif au stade chômant s'était effectué. Le ponceau l'absorbait au point qu'il rentrait chez lui à deux heures du matin, et mangeait rarement à la maison. Au cours de ses apparitions sporadiques, il s'aperçut que les repas n'étaient plus préparés. Sylvaine jusque-là s'était montrée non pas une ménagère impeccable mais une ouvreuse de boîtes de conserve assez assidue. Son appartement n'était pas plus sale que la moyenne. En sa qualité de nord-américain, Athanase n'avait jamais été pointilleux côté boustifaille; «côté traîneries», il eût peut-être souhaité un peu moins de désordre, mais il ne se plaignait pas. «Côté peau», ça allait aussi: «jamais baiseur spectaculaire: travail cerveau et travail cul — excuses — incompatibles». Pourtant, bien qu'il vécût dans les nuages et fût en train «livrer second pont combat épique», il avait fini par s'apercevoir que quelque chose ne tournait pas rond côté Sylvaine... Il devait l'aimer, c'était possible, même probable. Autrement, pourquoi ses soupçons larvés auraient-ils ralenti «croissance pont»? Alors, pour se remonter, pour se donner du cœur au cerveau, il avait commencé à s'envoyer périodiquement de petits verres de gin. Son rendement s'en trouva accru. Jamais il n'avait travaillé si vite et si bien. Il se sentait presque heureux. Mais cette euphorie n'avait pas duré longtemps. «Grâce obligeance copain bureau admirateur Sylvaine», il avait appris que cette dernière aurait un rendez-vous tel jour, telle heure, tel hôtel, telle chambre — «informateur méticuleux, étant ingénieur» — avec un galantin.

À ce stade de sa narration, Athanase s'est arrêté un bon moment. Quant à moi, lorsque j'en ai le goût (ce qui est rare), je préfère consommer les faits divers sous forme de chronique judiciaire que de confidence verbale. Question de goût. Pourtant, la confession de Bessière ne me laissait pas indifférent. La preuve, c'est que j'avais laissé éteindre mon cigare et qu'une sueur commençait à m'humecter les aisselles. Je n'ai pas eu le temps de m'interroger sur les causes profondes de cette sudation inusitée. En effet, Athanase poursuivait son récit :

— Quand j'ai appris ce renseignement, Monsieur, je me suis dit : 1) que c'était faux ; 2) que, même si c'était vrai, je ne lèverais pas le petit doigt ; 3) que, de toute façon, je m'en fichais. Je ne fus donc pas du tout surpris de me retrouver le lendemain, quinze minutes après l'heure du rendez-vous Sylvaine-galantin, dans le hall de l'hôtel en train de demander au réceptionniste la clef de la chambre n° 342. Le sort me favorisa : je n'eus qu'à donner le nom du galantin pour que le type me passe la clef en question. J'ai fait un bond jusqu'à l'ascenseur, puis jusqu'à la chambre n° 342, dont j'ai fait silencieusement jouer la serrure, et je les ai surpris dans la posture réclamée par les circonstances. De mon côté, je ne me suis soustrait à aucune des corvées de mon rôle. Je me suis rué sur le gringalet et j'ai tapé dessus jusqu'à inconscience. Je me suis ensuite élancé sur Sylvaine ; elle hurlait de frayeur. Pour la faire taire, je l'ai saisie à la gorge. Elle s'est mise à râler, et moi je serrais plus fort. C'est grâce à l'arrivée du garçon d'étage qu'elle s'en est tirée...

Athanase s'est tu. Je suais abondamment. J'avais les aisselles, les mains, le siège poisseux. Mes gestes n'avaient pas leur précision habituelle. Après trois efforts infructueux, j'ai quand même réussi à faire craquer une allumette. La flamme dansait, oscillait devant mes yeux. Je ne parvenais à l'immobiliser au bout de mon cigare. La tête me tournait.

La nuit. Obscurité totale. Effroi. Panique. Rectangle flou, jaunâtre, comme phosphorescent. « Le store ! » Calme relatif. Le tic-tac du réveil, régulier, rassurant, calme. « Je sais déjà lire l'heure. Brillant. » Six heures, sept ? Calme. Paupières lourdes. Sommeil presque... Sursaut, galopades dans la poitrine. Pupille démesurée. Halètement. « Cauchemar ? » Aiguë, convulsive pincée au bras. « Pas un cauchemar. » Gémissement, râle ; qui ? où ? Je les entends. « Voleur ? Assassin ? Fantôme ? Je suis petit, minuscule. » Le rectangle palpite, se dilate, se contracte, tourbillonne. Longue plainte aiguë, grincement métallique. Je vais mourir : gestes tremblants dans le noir, mains qui tâtonnent. Contact rassurant du métal. Lumière. Coup de bélier dans les oreilles, la poitrine. « Rien ? — Rien : silence. Cauchemar... » Onze heures dix. Sacré-Cœur, crucifix, Mickey Mouse, poisson de porcelaine en diagonale : normal. « Silence ? — Silence. » Contact glacé du plancher. Frisson. Évaporation de sueur. Effort pour enfiler la deuxième manche. Cahier d'arithmétique là, rassurant. Silence. Petite table grise. Canard vert : queues ébouriffées, becs béants. Rassurant. Silence. Crayon mal aiguisé. N'importe. Tracé laborieux un, quatre, huit, sept, multiplié par sept : un zéro quatre zéro neuf. Deux, neuf, quatre, six, divisé par huit : trois, six, huit et... un quart ! « Brillant. » Toujours premier. Félicitations. Maman. Chaleur. Douceur des mains. Moelleux de la poitrine. « Brillant ! » Senteur de talc, de lilas. Deux, sept, neuf, cinq, sept, huit multiplié par... Frisson atroce ! Horripilation. Crispation des doigts sur le crayon. Pas un cauchemar. Râle rauque. « Qui ? Où ? »

Grincement métallique. Voleur? «Assassin? Fantôme?» Cris gutturaux. «Mon Dieu, ayez pitié... Infiniment bon, infiniment aimable...» Ténèbres du corridor, vite, vite. Butée douloureuse. Table? Chaise? Reprise de l'élan. Chevauchée pastorale. Un noyé, il s'enfonce, suffoque. Boutons glacés dans main glacée. Crissement des gonds. Rectangle éblouissant qui vrille les yeux. Cécité. Silence, puis jet de vomissure pâteux, acide. Beau kimono neuf. Fin du monde. Vision hallucinante. Monstre bicéphale. Montagne de chair boisée de toison noire. Jambes comme des troncs d'arbres. Masque martyrisé, convulsif de maman. Fin du monde. «Mon Dieu, pardonnez... infiniment bon, infiniment aimable. — Je suis petit, minuscule, inexistant.» Rentrée sous terre. Mort. Fin du monde. Piquet de chair baveux, pointé comme un canon dans un embroussaillement de crins... «Et que le péché vous déplaît.» Non. Des pas dans la cuisine. Assourdissants comme des coups de tambour. Il est grand, immense et fort, c'est un géant. Je tremble comme une feuille. Je l'aime. Je le hais. Il tombe sur la montagne de chair à coups de massue féroces, terribles, grandioses. La montagne croule par terre avec un bruit de tonnerre. Ce n'est qu'un homme. Papa est grand, il est fort, il est bon. Je l'aime. C'est un dieu. La masse de chair rampe par terre comme un crapaud. Elle traîne après elle une longue robe noire. C'est Satan, c'est Lucifer déguisé en prêtre. De toutes mes forces je lui assène un coup de pied. C'est le diable. C'est l'enfer. Un cri aigu, déchirant, suppliant, frénétique. Oreilles perforées par un concasseur. Je suis petit, insignifiant, inexistant, agonisant. Lui, c'est un géant, un ogre, un monstre. Je le hais. «Je vais le tuer.» Maman hurle, râle, halète. «Je vais le tuer.» Férocement, voluptueusement mes dents dans sa chair d'ogre, de monstre. Coup de massue sur la tête. Il est le plus fort. Points étincelants, taches noires. Nuages tentaculaires devant les yeux. Je meurs. Fin du monde. Fin de moi. Râles affaiblis, évanescents dans les oreilles en expirant... Pas fini. Monstres en uniforme qui m'entraînent loin de maman. Je crie, je rue, je mords. Interminable, hallucinante randonnée. Crépuscule saignant comme un ventre. Enfermé. Autres petits forçats. Monstres en uniforme, d'autres en blousons blancs. Hurlements d'enterré vif. Cage grillagée. Loin de maman, loin de maman...

J'ai senti une violente brûlure à la main droite: l'allumette me grillait l'index et le pouce. Je l'ai lancée par terre, écrasée sous ma semelle. Cintré, séparé de son renflement oval, le segment calciné formait contraste avec l'extrémité intacte plus trapue, rectiligne et jaunâtre. J'ai sorti mon mouchoir de ma poche, me suis essuyé le front, le cou, les mains; j'ai craqué une quatrième allumette que j'ai pu immobiliser à quelques lignes de l'extrémité de mon cigare; j'ai aspiré une longue bouffée; j'ai ramassé la première allumette, aux trois quarts calcinée, et je l'ai déposée dans le cendrier.

— ... je n'ai passé que deux jours au cachot, car Sylvaine n'avait pas porté plainte. Son gigolo non plus. C'est alors que je me suis mis à boire sérieusement...

Athanase s'est arrêté; il a frotté l'une contre l'autre ses longues mains veinulées en un mouvement de torsion, les doigts de l'une glissant alternativement sur la paume repliée, puis sur le revers de l'autre, et il a demandé:

— Cigare?

Je lui ai tendu mon paquet. Après en avoir retiré un panatella, il me l'a remis et il a fumé un temps en silence. Son masque osseux n'exprimait aucun sentiment. Je me suis demandé s'il s'était rendu compte de mon exsudation, de mon tremblement.

— Rien à dire?

J'ai fait signe que non. Il a haussé les épaules et changé de sujet:

— Paulo temps inouï. Biberonne, probable.

J'ai répondu que probable et ajouté que s'il m'offrait un café je ne le refuserais pas.

Athanase s'est levé, a tiré son coussin, a glissé la main entre le dossier et l'embourrure du fauteuil, en a extrait une cassette et s'est dirigé vers la cuisine. Au bout de quelques minutes, il est revenu tenant dans la main droite une tasse ébréchée, fumante, qu'il m'a tendue ; dans la gauche, la cassette qu'il a reglissée dans la bergère. Nous sommes restés assis en silence, face à face, lui fumant, moi sirotant mon café, jusqu'au retour de Paulo.

Notre hôte a de nouveau filé vers la cuisine pour chercher des verres. Le flacon, débouché, avait déjà été soulagé d'une partie de son contenu. Athanase n'a pas fait de remarque. Ça lui semblait sans doute dans l'ordre naturel des choses. Moi, je me sentais flasque, léthargique et j'ai accepté deux doigts de scotch.

— Santé, a dit Thanase en se faisant basculer une demi-choppe dans le gosier.

Paulo était moins pressé. Il importait selon lui, pour célébrer dignement cette occasion, la première où nous levions tous trois le coude ensemble, de porter un toast « cognant et percutant ». Mais à qui ou à quoi ? Voilà qui demandait réflexion attendu que la première fois que l'on boit ensemble ce n'est pas la deuxième ni les suivantes — c'était là un fait reconnu. Soudain sa bobine s'illumina et il émit un rire graillonneux :

— Je l'ai !

Athanase ne voyait pas d'inconvénient à ce cérémonial, car il a dit :

— Instant.

Il a relesté son verre et il a attendu.

— Je l'ai d'aplomb ! « À la chute des couilles du couillon de Repentigny ! » Hein ? Ce que vous en dites ? C'est-y tapé ou c'est-y pas tapé?

— Chute couilles, a dit Thanase en élevant sa choppe.

Mais au dernier moment, Paulo fut assailli d'un doute. En retenant le bras de Bessière, il a déclaré qu'il ne fallait pas agir à la légère. En effet — ça venait tout juste de lui revenir — des zigotos tout ce qu'il y avait de plus aux pommes lui avaient affirmé que le couillon n'avait pas de couilles. C'est pourquoi il jugeait indispensable d'ajouter à son toast la clausule de sûreté suivante: «en l'absence desquelles, à la chute du pénis lui-même!»

— Pénis, dit Athanase qui, craignant sans doute une nouvelle interruption, se regargarisa considérablement.

Moi, j'ai bu mon coup et j'ai déclaré que je devais filer.

Ni l'un ni l'autre des soiffards n'a tenté de me retenir.

J'ai dû encore me contenter de mon absurde cahier de vocabulaire en attendant Sylvaine. Ça ne m'a pas surpris. J'avais eu une journée plutôt mouvementée et je ne me sentais pas sexuellement d'attaque. Pourquoi? L'histoire de Thanase me flottait dans la mémoire. L'ivrogne m'avait peut-être servi certains éclairages... Mais est-on jamais sûr de rien dans cet entortillement vaseux qu'on appelle la conscience? — Un joli con, le type qui a fabriqué ce mot: autrement la plupart des gens ne se douteraient pas qu'ils en ont une, conscience. Ce serait autant de gagné. Ça réduirait drôlement le nombre des enculages de mouche... Les philosophes trouveraient d'autres «sujets» où débloquer; les psychiatres, d'autres méthodes pour soutirer l'argent des gogos; les directeurs spirituels, d'autres trucs pour faire jouir les bigotes refoulées... Trêve de fariboles! L'embêtement quand on noircit du papier — j'ai lu ça autrefois dans une gare alors que j'attendais un train dégoûtant qui avait douze minutes et demie de retard — c'est qu'il faut choisir entre les choses qui n'ont aucune importance et celles qui en ont encore moins.

Donc, après avoir mangé, peu — mes sandwiches m'étaient restés sur l'estomac —, j'ai ouvert mon cahier de vocabulaire et je l'ai feuilleté en attendant Sylvaine. Ça avait dû barder à la maison, car elle est arrivée trois minutes en avance. Elle était pourtant, comme toujours, tirée à quatre : une robe lie de vin à parements taupe dont les coutures princesse galbaient son corsage et, s'incurvant à la taille, moulaient hanches et cuisses, la rendait très *sex-appealante*. Je me suis dit que l'enlèvement d'un pareil fourreau me donnerait un mal de chien. Mais chaque chose en son temps. Je n'étais ni prêt, ni pressé. Est-ce que je le serais jamais plus ? En tout cas, les mots de Sylvaine comparés à ceux de mon cahier offraient l'avantage de ne pas se succéder par ordre alphabétique. Parée de son sourire le plus biaisant, elle me tendait le brouillard de la *Plumbing* gonflé d'un fouillis de factures :

— Vous voyez, Jérôme, je n'ai pas oublié ma promesse.

Je ne m'en suis pas montré surpris : je connaissais trop bien, ai-je déclaré, l'infaillibilité de sa mémoire et l'attention passionnée qu'elle portait à son travail. Elle n'écoutait pas mon déconnage. Elle avait raison. Mais c'était pour m'apprendre des nouvelles « positivement percutantes ». « D'abord, premièrement », M. de Repentigny s'était disloqué les jointures en donnant du poing sur son bureau. C'était « d'un navrant » ! D'autant plus qu'il grimaçait tellement que « c'était à mourir de rire ». Sylvaine avait dû, par délicatesse, se précipiter dans les W.C. Elle avait perdu de la sorte des minutes précieuses, le temps de refaire son maquillage et tout, comprenez. Quand elle était ressortie, Lucile était en train de bandager la main du patron. C'était positivement d'un navrant, n'est-ce pas ?

Je me suis joint à la doléance de Sylvaine et j'ai exprimé

132

le regret que M. de Repentigny ne fût pas ambidextre, attendu qu'il eût pu ainsi se fracasser le poing gauche comme il avait fait le droit.

Sylvaine n'écoutait toujours pas. C'était sans importance évidemment, car même quand elle écoute, ses réponses sont d'ordinaire sans rapport avec les propos qu'on lui tient.

— Ce n'est pas tout: en partant pour la clinique, Monsieur de Repentigny nous a prévenus qu'il nous mettait tous à l'amende à l'exception de Lucile Francœur. Nous avions, soi-disant, perdu une heure à cancaner dans l'antichambre au lieu de travailler. Alors notre prochaine paye serait coupée d'un quarantième. Moi, pour dire franchement, j'ai trouvé ça un peu mesquin, Jérôme. Et tu aurais dû entendre gueuler les autres aussitôt le patron parti! Je ne les ai jamais vus aussi montés. Même le vieux Basile qui ne dit jamais un mot plus haut que l'autre tempêtait comme un possédé. Pense donc! Ça fait trente-deux ans qu'il trime à la *Plumbing* et il n'a jamais perdu un sou de traitement! Et il ne s'est absenté que deux fois: quand sa femme a eu un saignement; puis sa fille, une fausse couche. Des mauvaises langues affirmaient qu'il s'agissait plutôt d'un avortement, étant donné que son mari serait impuissant. Ces ragots-là, moi, ne m'intéressent pas et je ne suis pas allée vérifier. En tout cas le vieux Basile, lui, il soutient que c'étaient là des empêchements de force majeure qui font partie de l'ordre naturel des choses. Au fond, on ne peut pas le blâmer quand on y pense sérieusement, pas vrai?

Histoire de lui laisser rattraper son souffle, j'ai donné dans son sens: les deux absences du père Basile me semblaient à moi aussi provenir d'accidents inéluctables et fondamentaux. Une ménorragie et une fausse couche en trente-deux ans, on ne pouvait dire que ce fût abusif.

Sylvaine était «positivement ravie» que je partageasse son sentiment à ce sujet. Pourtant elle s'en était ouverte à

Madame Chaput, la contrôleuse qui, « en passant et en toute objectivité », était une dinde tout ce qu'il y avait de plus dinde, et cette dernière n'avait pas vu les choses du même œil. Elle admettait, d'ailleurs de mauvaise grâce, que des indispositions de cette nature pussent se produire, mais elle blâmait sans réserve le père Basile, un rustre inculte, d'avoir ainsi étalé son linge sale en public. Un homme plus délicat aurait invoqué des motifs moins répugnants. Mais le père Basile était trop bête pour pratiquer la restriction mentale. Rien d'étonnant à cela d'ailleurs chez un homme qui avait les ongles sales, ne se faisait la barbe qu'à tous les deux jours et se mouchait dans un mouchoir à carreaux.

— Inutile de te dire, Jérôme, que je n'y suis pas allée par quatre chemins pour lui répondre, à la Chaput. Je lui ai dit qu'elle était une sans-cœur et une vomitive... Mais je ne veux pas t'ennuyer avec ces histoires. Ce qui est important, c'est que nous allons envoyer une lettre de protestation collective à Monsieur de Repentigny contre sa mesure disciplinaire. Le père Basile aurait voulu qu'on y consacre un paragraphe au saignement de sa femme et à la fausse couche de sa fille. Mais on lui a fait comprendre qu'il s'agissait là d'un acte commun où les griefs individuels n'entraient pas en ligne de compte. Je pense que c'est mieux ainsi, pas vrai ?

Ce que me racontait Sylvaine aurait dû me réjouir. Mais je connais trop bien les poules mouillées, les foireux de la *Plumbing* pour en rien espérer de sanglant. Leur protestation, de Repentigny allait la foutre au panier et on n'en entendrait plus parler. Sylvaine a-t-elle senti mon manque d'enthousiasme ? C'est possible, car elle s'est exclamée :

— Mais je parle, je parle comme une pie et je suis sûre que vous... que tu brûles de te mettre au travail tout de suite, Jérôme. Excuse-moi.

De la main elle m'indiquait le brouillard. J'ai hoché la tête, perplexe. Ce n'est pas que la besogne me déplût, bien au contraire. Inscrire des chiffres en colonnes bien propres, bien droites, sans bavure, même dans un brouillon, les additionner, les balancer, c'est là une activité qui procure des plaisirs incontestables. Mais n'allais-je pas m'embarquer dans une drôle de galère? Sylvaine comptait-elle venir tous les jours me porter sa main courante et jacasser comme maintenant? C'était là une perspective empoisonnante. D'ailleurs, la pensée de rendre service, même indirectement, au garde-chiourme me puait au nez.

— Nous serons plus à l'aise ensuite pour causer, a précisé Sylvaine qui, en voulant se croiser les jambes, s'est aperçue que sa jupe était trop étroite et l'a remontée au-dessus du genou.

Je lui ai assuré que rien ne pressait et que d'ailleurs je me sentais incapable de travailler avant d'avoir reçu des nouvelles, détaillées, du sympathique Athanase.

— Ah, Athanase! J'allais oublier! Figurez-vous que Paulo est là et qu'il est saoul comme trente-six matelots en permission. À six heures du soir, est-ce réglementaire, je vous le demande? Athanase n'en menait pas large lui non plus, le pauvre homme. Paulo exerce sur lui une influence néfaste, j'en suis convaincue. Mais qu'est-ce que je pouvais dire, Monsieur Chayer? Paulo sait que je t'ai rendu visite — je ne voulais pas l'indisposer par des reproches, pas vrai?

Elle s'est mise à m'expliquer dans quelle position — d'un navrant! — elle avait découvert les deux innommables: assis par terre, à la tailleur, sur le plancher de la cuisine, l'inévitable planche carreautée les séparant, et qui s'injuriaient comme des charretiers.

— Il paraît que Paulo n'est même pas assez intelligent pour faire circuler les statuettes selon les règlements. C'est un *minus habens*, je l'ai toujours pensé... Athanase était tellement furieux que, après avoir épuisé sur Paulo tout son arsenal d'invectives, il l'a finalement traité de Passetout.

Quand Paulo a appris qu'il s'agissait d'une calotte, il est entré dans une fureur épouvantable; il en bavait positivement et définitivement... Ce qui va se produire quand l'abbé va arriver, Dieu seul le sait, Monsieur Chayer! Mais je parle, je parle, mon pauvre Jérôme, et je te retarde. Excuse-moi, je suis égoïste. Je ne dirai plus un mot. Je sais que tu brûles de...

Je lui ai répondu que je « brûlais » de moins en moins, attendu que le garde-chiourme allait profiter de mon labeur et que cette pensée douchait mon zèle. Je ne refusais pas, néanmoins, de tripoter ce suave brouillard et ces voluptueuses petites factures. Toutefois, comme nous nous trouvions un vendredi — Sylvaine ne l'avait pas remarqué; d'autant moins qu'Athanase, distrait de ses devoirs de ménagère par la visite de Paulo, avait négligé de faire venir du poisson — je préférais remettre au week-end l'attaque des écritures.

Ce dont je n'ai pas informé Sylvaine, c'est que, durant sa jacasserie, j'avais machiné un projet susceptible, je ne dirai pas d'implanter dans le cerveau du bronchitique des idées suicidaires — ce qui aurait été trop espérer — mais capable de déclencher chez lui un mouvement (de bas en haut et foudroyant) du poing gauche, lequel, brusquement interrompu par le plan vertical du bureau réniforme, aurait pour effet de disloquer les jointures ou même, en mettant les choses au mieux, de les réduire en charpie.

Voici en quoi consistait mon plan. C'était de me procurer, dès le lendemain, un brouillard de format, texture et lignage identiques à ceux de l'ancien, d'en interchanger un certain nombre de feuilles avec celles correspondantes de l'autre, d'y coucher des passations d'écriture fantaisistes mais concurrentes qui démontreraient d'indéniable façon que les transactions de la *Plumbing Supply Company* durant le dernier trimestre accusaient un solde débiteur catastrophique: ce qui me paraissait singulièrement idoine à créer du pétard dans le Landernau de la tuyauterie.

En apprenant que c'était vendredi, Sylvaine a donné des signes d'agitation. Elle ne pouvait pas s'attarder, — elle devait aller aux provisions. Quand elle avait vu l'état de Thanase, elle avait fait garder les enfants par une voisine, mais elle ne voulait pas rentrer trop tard puisqu'elle devait, pas vrai ? revenir chez moi chercher le brouillard dimanche soir et redemander à la voisine d'avoir l'œil aux gamins, car le dimanche soir Athanase était rarement capable de le faire. En effet, ce jour-là, le bon abbé Passetout, à moins qu'il ne dût chanter les vêpres, s'amenait plus tôt que d'habitude. Il donnait même souvent un petit cachet au deuxième vicaire, l'abbé Porcheron, pour le remplacer. Comme cet abbé Porcheron était un saint homme et qu'il donnait tout son argent aux pauvres, l'abbé Passetout se trouvait ainsi, indirectement peut-être, mais quand même positivement et définitivement associé à ces bonnes œuvres.

— C'est l'abbé Passetout lui-même qui me l'a expliqué un soir qu'Athanase était en train de recoller ses statuettes. Il n'est peut-être pas très fort, l'abbé Passetout, en face d'une planche carreautée, vous le dites et je vous crois, mais en théologie, il s'y connaît. C'est le confesseur le plus couru de la paroisse. J'ai des amies qui ne jurent que par lui.

Sa seule faiblesse selon Sylvaine consistait à roupiller parfois au confessionnal, mais c'était sans importance. Quand on le réveillait, par délicatesse il ne faisait jamais répéter leurs péchés à ses pénitentes. De plus, contrairement à l'abbé Porcheron et au curé Surette, il n'avait pas mauvaise haleine. Il se munissait toujours de pastilles chlorophyllées avant de s'installer au tribunal de la pénitence. Elles avaient, paraît-il, ces pastilles, un arôme d'amande et de thé des bois et jouissaient d'une solide réputation même auprès des pécheresses les plus endurcies. À tel point que l'une d'elles en avait envoyé douze boîtes à l'abbé Porcheron lors de la retraite des femmes. C'était encore les pauvres de la paroisse qui en avaient bénéficié, naturellement, mais l'intention y était, pas vrai ?

Sylvaine s'est arrêtée pour regarder sa montre, la porter à son oreille, la secouer, la reporter à son oreille, en tordre puis en arracher le remontoir, l'envelopper de son mouchoir et replacer le tout dans son sac à main. Elle m'a ensuite demandé l'heure. Je l'en ai informée. Un silence a suivi.

Sceptique, ce soir-là, sur le rendement de mon potentiel amoureux, même avant la conception de mon stratagème comptabiliaire, j'étais maintenant convaincu, quels que fussent les tortillements et minauderies que Sylvaine exécutât, qu'il n'y avait rien à attendre de ce côté. Quant à me déshabiller, à me mettre au lit, puis à me relever, à me rhabiller sans que l'entre-deux offrît une compensation rationnelle à ces gestes, cela me paraissait à la fois clownesque et absurde. Je ne songeais plus, en effet, qu'à mettre incontinent à exécution mon projet de falsification d'écriture qui allait, je n'en doutais pas, me dispenser des jouissances à la fois inédites et familières. Puisque nous étions un vendredi, les boutiques restaient ouvertes jusqu'à vingt et une heures ; j'avais donc le temps de me procurer un brouillard de même format que le torchon de la *Plumbing* et de me mettre à la besogne le soir même.

C'est pourquoi j'ai dit à Sylvaine que la pensée de la soustraire à ses devoirs d'état, aux soins qu'elle devait consacrer à l'approvisionnement et à la garde de sa progéniture m'était tolérable ; que, malgré mon consumant désir de m'épancher auprès d'elle, je me résignais à y imposer silence jusqu'à dimanche, vingt heures quarante-cinq.

Sylvaine s'est décroisé les jambes et mise sur pied avec une promptitude non exempte d'humeur tout en se déclarant touchée de la sollicitude dont je faisais preuve à l'égard de Marie-Odile et d'Athanase jeune ; et elle m'a prié de bien vouloir aller quérir son manteau. Si je ne la tenais pas par le brouillard, elle me ferait sans doute drôlement attendre notre prochain corps à corps.

À la troisième papeterie, j'ai pu trouver l'article. Il était plus mince que le torchon — ça m'arrangeait. Il m'a quand même coûté $8.43 ($7.95 plus 6% de taxe). C'était bien la première fois que je faisais semblable débours au profit de la *Plumbing Supply*.

Je n'ai pas l'habitude de marcher vite ; pourtant, aussitôt sorti de la boutique, mes deux brouillards sous le bras, je me suis mis à filer à une allure saugrenue.

L'enlèvement de trente-deux folios de la vieille main courante et leur remplacement par le même nombre de la nouvelle m'ont donné beaucoup de mal. J'avais cru à tort que je pourrais, en glissant une lame entre le dos des feuilles et celui de la couverture, détacher le fil au moyen duquel était assujetti le cahier à détacher. Malheureusement, ce fil se trouvait cousu à des rubans fixés au dos et d'ailleurs partiellement recouverts par un encollage durci, craquelé. J'aurais dû le savoir, moi qui ai si souvent manipulé au bureau ce brouillard haillonneux. On n'observe jamais assez. Force me fut donc de le couper, ce fil, trois fois (à moins que ce ne fussent trois fils différents que j'aurais coupés une fois chacun, mais c'est peu probable), c'est-à-dire à chacune des coutures qu'il formait le long du pli médian entre les pages 16 et 17. J'ai ensuite détaché les seize feuilles doubles (ou les trente-deux pages). J'aurais aimé nouer par couples ou les assujettir d'une autre manière les six extrémités du fil qui avait formé les trois coutures, mais, après y avoir réfléchi, j'ai constaté que c'était pratiquement impossible. J'ai donc coupé, au moyen d'une lame de rasoir, les six bouts de fil à ras des pages. J'ai ensuite détaché (de la façon ci-haut décrite) du brouillard neuf un cahier identique au précédent et je l'ai ajusté sur le vieux brouillard. Comme je l'avais craint, les trous des nouvelles feuilles ne correspondaient pas à ceux des anciennes. Je me trouvais donc en face de l'alternative suivante: ou bien percer de nouveaux trous dans les feuilles remplaçantes — ce qui, en laissant les anciens non enfilés, eût compromis, si quelqu'un s'était donné la peine d'examiner ce brouillard hybride, le secret de ma substitution; ou bien prolonger les anciens trous, c'est-à-dire en pratiquer de semblables dans l'encollement au risque d'en séparer les rubans. J'ai choisi la seconde solution. Voici comment je m'y suis pris: j'ai ajusté soigneusement le cahier (ouvert aux pages 16-17) dans le brouillard et, l'y maintenant de la main gauche, j'ai planté avec une vigueur prudente six aiguilles fichées dans l'encollement; puis leur ai imprimé à tour de rôle un léger mouvement circulaire pour accroître leurs percées avant de les retirer.

Les opérations précédentes m'avaient pris un peu moins de trente-six minutes. Restait la tâche la plus délicate: assujettir le cahier. Je savais qu'il était impossible de faire passer les aiguilles dans les trous sans percer en même temps le dos de la couverture. Cette dernière mesurait en effet un pouce et sept huitièmes, alors que la distance maximale que je pusse obtenir entre l'encollage et le dos de la couverture (sans démembrer le brouillard) atteignait à peine un pouce. Il fallait donc les introduire renversées, c'est-à-dire le chas en bas, et munies d'un fil plutôt long lequel, une fois le chas suffisamment émergé de l'encollage, je tirerais le long du «tunnel» au moyen d'un crochet avant d'enlever l'aiguille. C'est ce que j'ai fait. Quant aux six extrémités du fil qui dépassaient l'encollage, j'ai réussi à les nouer deux à deux. Ce n'était pas facile, attendu que je devais d'abord les amener au même bout du tunnel, les boucler, en maintenir une d'un côté pendant que je tirais l'autre, assujettie à une rondelle d'espacement, elle-même attachée à une ficelle qui glissait le long du tunnel. Il m'a fallu cinquante-sept minutes pour parfaire l'assujettissement du cahier, mais j'étais content de moi.

Sans me vanter, j'avais fait du beau travail. J'ai retourné le vieux brouillard dans mes mains en essayant de découvrir un seul détail suspect: — rien ne paraissait. J'en ai presque éprouvé de l'affection pour cette ruine écornée. Je me suis frotté les mains, j'ai allumé un cigare et je me suis mis à classer les factures. Il était onze heures trente-cinq, passé donc l'heure de mon coucher, mais je n'avais pas sommeil, je me sentais frais et dispos. Même l'estomac fonctionnait bien. Onze heures trente-cinq, et puis après? Je me suis dit qu'une fois n'est pas coutume, que j'étais en somme en vacances et que je travaillerais aussi longtemps que j'en aurais le goût.

Le tri des factures n'était qu'une préliminaire que j'accomplissais presque sans y penser, avec ma célérité habituelle. J'avais presque terminé et je sentais déjà un petit chatouillement d'expectative au creux de l'estomac lorsque la sonnette a retenti. Histoire de me soulager, j'ai poussé un « Tabernacle » convaincu et je me suis dit que ça ne pouvait être que Paulo, désireux de se réimbiber l'éponge. J'ai fourré le vieux brouillard et les factures dans l'armoire et me suis dirigé vers la porte, bien décidé à dire ma façon de penser à l'épouvantail.

— Monsieur Chayer? Je vous ai dit que j'avais votre numéro. Voyons voir: entrée sans permission domicile d'autrui... menaces destruction et personne... voies de fait... entraves et faux renseignements agent de police dans exercice fonctions... Pas mal! Tenez, lisez vous-même. Mandat d'arrestation. Ça peut vous intéresser.

C'était la vache de l'après-midi flanquée d'un escogriffe. La trogne écarlate épanouie, elle (la vache numéro un) me tendait une feuille de papier.

— Ça peut p't-ête ben vous intéresser autant qu'une séance d'essayage.

J'ai songé à décliner son invitation en soulignant que je ne lisais jamais avant de me coucher et que, de plus, le jargon avocassier et son sous-produit, le charabia des bourriques, m'avaient toujours paru aussi répugnants que grotesques. J'ai préféré lui affirmer que sa visite mondaine tombait on ne pouvait mieux, attendu que je faisais toujours une petite promenade de détente avant de me mettre au lit. Je le faisais d'ordinaire en compagnie de mon chien. Ce dernier étant malheureusement indisposé et incapable de sortir, je me contenterais d'un bovin.

— Ça va bien, dit la bourrique numéro un en griffonnant dans un calepin. Votre compte est bon. Ça s'améliore, hein, Ernest?

La bourrique numéro deux encensa du museau en grognant son approbation.

— Seulement, un conseil d'ami : continuez comme ça et je vous flanque les menottes.

Escorté par la paire, je suis allé chercher une boîte de cigares à ma chambre, j'ai endossé mon paletot, j'ai saisi en passant, je ne sais pourquoi, le brouillard (nouveau) qui traînait sur la table, et nous sommes sortis.

Au poste de police, une bourrique, sans doute plus haut placée que les deux autres puisqu'elle se trouvait assise derrière un bureau, m'a posé un certain nombre de questions auxquelles j'ai opposé une ironie acide. L'andouille voulait savoir mon nom. Je lui ai répondu que s'il ne le savait pas, c'était que ses deux mouchards avaient, grâce à leur flair habituel, arrêté à l'aveuglette un inconnu. Je ne m'en étonnais point, ayant toujours vécu dans la province de Québec. Cette réponse a paru le satisfaire, car il a dit :

— Ça va.

En un sens, ça m'a désappointé (j'avais d'autres considérations à lui refiler), mais il a passé tout de suite à la question suivante : mon âge. À quoi j'ai répondu que, s'il avait la naïveté de prêter créance à une paperasse communément appelée dans nos parages «certificat de baptême» — j'avais en effet opté pour le catholicisme à l'âge de deux jours — je comptais quatre-vingt-sept années d'existence. Sans broncher, la bourrique a noté ce chiffre, puis elle a demandé :

— Nationalité ?

Sur quoi j'ai exposé que ma mère, ancienne religieuse, donc de mœurs faciles, m'ayant, à sa grande surprise ainsi qu'à la mienne (c'était d'ailleurs le seul sentiment que j'eusse jamais partagé avec elle), mis bas au moment même où elle quittait le couvent, n'avait malheureusement pas pu par la suite découvrir à quel prédicateur je devais le jour. Toutefois, comme elle avait subséquemment remarqué que je semblais plus enclin à cracher qu'à parler, elle avait supposé que mon géniteur était d'ascendance prussienne. S'en étant ouverte plusieurs années plus tard à son légitime, il avait émis l'hypothèse que j'étais d'origine spartiate, étant donné le stoïcisme avec lequel j'encaissais ses coups de pied au cul. Quant à moi, un petit fait m'incitait à penser que j'étais de descendance indienne : en effet, un jour que le mari de ma mère était rentré plus saoul que d'habitude, je lui avais écrabouillé le crâne au moyen d'un manche de hache lequel, d'après la déposition de ma grand-mère, ressemblait d'une façon frappante à un tomahawk. Toutefois, au strict point de vue légal, puisque le couvent où, par mégarde, j'avais vu le jour se trouvait dans la province de Québec, j'ai déclaré au flicard que j'étais (comme lui sans doute, à en juger par la façon dont il écorchait le français) Canadien.

Sur ce, la vache qui (parce qu'elle baragouinait un avatar du charabia que la soldatesque romaine avait, voilà deux millénaires, dispensé en Gaule en même temps que ses coups d'épée) était fort chatouilleuse sur le chapitre de la langue, la vache, donc, s'est montée. Elle a émis l'avis que j'étais un *wisecracker*, un *smart-Alec*, un *bum*, à moins que ce ne fût un *robineux*, un *goof-baller* ou un *crack-pot*; qu'elle allait me *sacrer dedans* sur le vrai temps et que, si cela ne me *shékait* pas assez le *Canayen*, elle me *chrisserait* dans un *strait-jacket*.

— Capiche, Mac?

Je lui ai répondu que, dans l'hypothèse où il eût parlé au lieu d'émettre seulement un certain nombre de bruits gutturaux d'une discordance exceptionnelle, je n'avais naturellement rien compris et que je réclamais, comme c'était mon droit, les services d'un traducteur.

Sur un signe de la bourrique assise, les deux bourriques debout se saisirent de moi; puis la bourrique assise s'enquit si je voulais téléphoner à quelqu'un — j'avais droit à un seul «call», pas plus — avant de me faire «maudire dedans».

Je lui ai répondu que les conversations téléphoniques ne me plaisaient guère d'habitude, mais que si cela pouvait lui faire plaisir, j'avais en Australie un vieil oncle très malheureux (puisqu'il souffrait à la fois de paralysie et de surdité) avec lequel je ne dédaignerais pas de causer durant quelques heures.

La révélation de l'existence de cet oncle égrotant eut pour effet de communiquer aux deux bourriques qui me flanquaient, et conséquemment à moi-même, un mouvement de translation d'une vélocité remarquable qui aboutit à un cagibi de forme cubique dont cinq plans étaient formés d'un béton noirâtre et rugueux et le sixième d'une série verticale de barreaux de fer cylindriques d'environ trois quarts de pouce de diamètre et coupés à angle droit par cinq autres barres plus massives, de section carrée.

C'est là que les bourriques m'ont débarrassé de leur présence après m'avoir soulagé de mes lacets, de ma cravate, de ma ceinture, de mon canif, de mes trois montres, de mon portefeuille, de ma monnaie, de mon trousseau de clefs, de mon peigne, de six aspirines, de onze pilules anti-acides, de dix-sept allumettes, de deux cambrures plantaires, d'une paire de supports-chaussettes, d'une épingle de sûreté et d'une capote anglaise. Il ne m'est resté, à part mes vêtements, que mon paquet de kleenex, le brouillard, un mouchoir et un bout de crayon (sans doute oublié par les flics) au fond de ma poche fessière gauche.

Un bat-flanc composé de trois madriers nus courait le long du mur. Je m'y suis assis et j'ai pensé. Comment cette loufoque histoire allait-elle se boucler? Les chefs d'accusation tiendraient-ils devant le juge? Le bronchitique m'avait lancé un encrier à la tête. Ça, la tache sur le mur pouvait en témoigner. C'était une voie de fait incontestable qui militerait en ma faveur... mais il y avait aussi le brouillard. On pouvait m'accuser de l'avoir volé. Le faire remporter à la *Plumbing* était facile, mais les pages blanches? Confier la falsification à Sylvaine, même à Paulo, c'était courir à un échec certain. Moi seul pouvais la fignoler efficacement. Il fallait à tout prix que je sorte de ma cage avant lundi. Il était toutefois inutile d'y songer pour ce soir-là. Les bourriques me tenaient — elles n'allaient pas m'élargir par serviabilité. J'aurais peut-être pu appuyer sur la pédale sourde durant l'interrogatoire. Surtout sur la question langue, qui avait foutu la vache assise en une rogne terrible. Pourtant, je ne pouvais regretter ma conduite. Il ne faut jamais manquer une occasion d'enguirlander les flicards, les calotins et les directeurs de firmes de tuyauterie...

De toute façon, il était trop tard pour y revenir et je me réjouissais même d'avance à la pensée que les bourriques devraient répéter publiquement en cour les brocards que je leur avais décochés — si toutefois elles possédaient assez d'intelligence pour les avoir notés correctement. Je serais peut-être obligé de leur rafraîchir la mémoire. Mais dans le temps comme dans le temps. J'ai chassé ces fariboles de mon esprit et, comme je n'avais pas sommeil et que le bat-flanc ne péchait pas par excès de moelleux, j'ai décidé de rester assis et de jouer une partie d'échecs mentale. Ça n'a pas duré longtemps: je venais de compléter mon septième coup: le cavalier noir côté roi ($g^1 - e^2$) quand des imprécations ébranlèrent le corridor, suivies d'un crissement de gonds. Bien que je ne pusse rien voir, j'ai compris que les flics foutaient un abruti dans la cellule d'à côté. J'espérais que le gueulard (que vu son empâtement articulatoire je supposais paf — mais je n'en étais pas sûr car nous avons, nous du Québec, le précieux avantage de bafouiller presque aussi inintelligiblement à jeun qu'en goguette, ce qui complique drôlement le travail des bourriques quand elles veulent nous inculper d'ivresse) j'espérais donc que le gueulard se la bouclerait une fois entôlé. Mais bernique: ses cordes vocales vibraient avec plus de véhémence que jamais. Il n'était plus question de jouer aux échecs. J'ai donc entendu, puis écouté le bredouillis tonitruant qui lui tenait lieu de langage. Ça ne manquait pas d'intérêt. Autant que j'en pus juger — car je n'avais plus mes trois montres — il ne m'a fallu que quatre-vingt-dix secondes pour remarquer que certains îlots de sons analogues réapparaissaient avec obstination dans ce torrent guttural. Bien que je n'en saisisse pas encore la signification, j'ai supposé qu'ils en avaient une dans l'esprit (si l'on peut dire) de celui qui les émettait. Je ne m'étais pas trompé: après avoir saisi à plusieurs reprises quelque chose qui ressemblait à: « Dzuplsièinkâkâkâkâ » ou « Dzupsiyinko-

146

kokoko», j'ai découvert à mon grand contentement la clef du mystère: ce que le zigoto ronchonnait était le truisme suivant: «Duplessis est un con, con, con, con.» J'en ai éprouvé un certain respect pour mon co-entôlé. Je trouvais quand même qu'il faisait un usage abusif de la répétition et j'ai profité d'une accalmie relative — i.e. d'un interlude où renâclements et mouchages remplaçaient les vociférations — pour le mettre en garde contre ce procédé oratoire. Ma remarque a dû le stupéfier, car même les graillonnements ont stoppé. Il s'est d'ailleurs vite ressaisi, et, dans sa déclaration suivante, j'avais temporairement supplanté le Premier Ministre: «T'es un con, con, con, toé, t'es un con, con, con, con. Duplessis est un con, con, con, pis toé t'es un con, con, con. Ça fait deux cons, cons, cons; ça fait deux cons, deux cons, deux cons.» Il avait peut-être raison. Je souhaitais néanmoins lui faire changer de disque. Ma première interpellation m'avait démontré que c'était possible. J'ai donc profité d'un *piano* pour dénoncer l'irrespect du gueulard envers le «défenseur de nos droits provinciaux», ce qui m'a valu huit bonnes mesures de silence durant lesquelles l'entôlé devait se livrer à une intense méditation, car la déclaration qui suivit, sans renouveler tout à fait le sujet, en tirait une conséquence inédite: «La province, je me torche avec, avec, avec. Ça fait une. Pis toé, je me torche avec toé, ça fait deux. Pis Duplessis, je me torche avec itou, ça fait trois. Je me torche avec la province, je me torche avec toé; pis je me torche avec Duplessis, ça fait trois. Je me torche avec la province; je me torche... etc.»

J'ai compris que, politiquement, mon interlocuteur appartenait au centre-gauche et que tout effort de ma part pour lui faire adopter une position moins bourgeoise était d'avance voué à l'échec. Je suis donc retourné m'asseoir sur le bat-flanc et — histoire de passer le temps — je me suis mis à compter les sommes respectives des *cons* et des *torchures* dont s'agrémentait le soliloque du bourgeois. Cela exigeait une attention de tous les instants, vu l'incroyable bafouillage de son débit. J'ai quand même mené l'entreprise à bonne fin. Les cons d'une part atteignaient le nombre de sept cent soixante-sept; les torchures, d'autre part, celui, plus modeste, de quatre cent quatre-vingt-treize, quand l'entôlé a cédé, soit au sommeil, soit à une attaque d'aphonie.

Le lendemain, je me suis éveillé avec une courbature de tous les diables. Les madriers ne sont pas indiqués pour les carcasses de quarante-huit ans et sept mois. Quelle heure pouvait-il être? Le plafonnier rectangulaire à verre dépoli répandait toujours sa clarté crasseuse dans la cellule. Je suis allé me soulager dans le seau hygiénique, puis je me suis approché des barreaux pour jeter un coup d'œil dans le corridor. Là aussi brûlait un plafonnier. Mais de la fenêtre du bout, nulle lumière ne filtrait sinon celle, intermittente (rouge et verte), d'une réclame au néon. Il faisait donc toujours nuit. Mais quelle heure était-il? Deux heures? Trois? Quatre? Je n'avais pas perdu ainsi la notion du temps depuis dix-huit ans et demi, alors qu'une pneumonie et un médicastre ont bien failli avoir ma peau. Ce morticole m'a flanqué dans l'arrière-train deux coups de seringue que je ne lui pardonnerai jamais. Comme si on ne pouvait pas laisser mourir les gens en paix sans leur perforer les fesses! Ça n'a vraiment pas changé depuis Molière. Ou plutôt si: maintenant, ça coûte plus cher. Dire que le lendemain le charlatan a eu le culot de rappliquer! Heureusement, je me sentais un peu moins agonisant que la veille. C'est peut-être mon désir d'engueuler ledit charlatan qui m'a sauvé. Je lui ai signifié de remballer ses piques ou bien que je lui passerais le tisonnier à travers le corps, et cela gratuitement: je ne profitais pas de la faiblesse des gens, moi, pour les exploiter. Il n'a pas insisté, mais il m'a foutu une note de $25.00 que j'ai dû payer. Autrement, je serais tombé entre les pattes d'un avocat. Pas étonnant que les gens craignent la maladie... Toutes ces pensées m'ont traversé l'esprit alors que, appuyé aux barreaux de ma cage, je regardais stupidement le reflet intermittent de la réclame dans la fenêtre. Ce n'était pas gai. D'autant moins qu'un avocat, il m'en faudrait sans doute un pour sortir de cette galère. Si seulement j'avais eu une montre, je me serais senti moins désemparé. Mais allez donc demander un service aux flics! J'ai quand même fini par me secouer et je suis retourné m'asseoir sur le bat-flanc. J'étais trop abruti pour rien entreprendre côté échecs ou mathématique. Mon cahier de vocabulaire m'aurait probablement apporté une diversion, mais je ne l'avais pas. C'est alors que, au bout d'un bon quart d'heure de stagnation absolue, il m'est venue une idée: j'ai commencé à scribouiller ces « mémoires ». Même cette tâche enfantine — que je poursuis irrégulièrement depuis bientôt trente et une heures (plus ou moins) — me demande un effort. Surtout peut-être à cause des interruptions. J'avais à peine noirci une couple de pages que le zigoto centre-gauche de la cellule voisine est sorti de son coma et s'est remis à gueuler. Il avait abandonné les questions politiques et nationales pour s'adresser aux flicards:

— Eh, les tapettes, tonnait-il, apportez-moi quelque chose à boire et je vous enculerai tous à la chaîne. Je suis pas un ingrat, vous verrez. À la chaîne, à la chaîne que je vous enculerai.

Il s'interrompait pour rigoler un bon coup et reprenait son refrain. Comment coucher méthodiquement sur papier même des symboles aussi flous que les mots dans des circonstances semblables? Il est vrai que, au fond, je m'en balançais. Ce brouillard-mémoire, je le jetterais dans la première poubelle dès mon élargissement; quand il viendrait. Mais quand? Ça restait à voir.

Les vaches, en effet, ont fait preuve à mon égard d'une fourberie, transparente si l'on veut, mais que je croyais au-dessus de leur quotient intellectuel. Quand, à l'aube, j'ai dit à celle qui faisait office de geôlier que je voulais téléphoner, elle m'a répondu que les appels outre-mer n'étaient pas prévus dans le Code criminel canadien. C'était de bonne guerre — je le reconnais — et la bourrique est montée d'un cran dans mon estime. Mais cela ne m'arrangeait guère. J'ai dû ravaler ma rogne et déclarer que, maintenant que j'y repensais, mon oncle d'Australie avait fait supprimer son service téléphonique pour cause de surdité et que je me contenterais d'un appel local. La vache m'a alors appris que, si un prévenu appréhendé de nuit refusait d'user de son droit à communiquer avec l'extérieur lors de l'interrogatoire, il devait attendre ensuite jusqu'à neuf heures le lendemain matin.

L'entôlé centre-gauche qui, de toute évidence, suivait la conversation, a alors clamé que, sourd ou non, mon oncle il l'enculerait comme les autres. Un de plus, un de moins, lui, ça ne le dérangeait pas. Il n'était pas regardant. Qu'on lui servît seulement un petit verre, et mon oncle, avec ou sans oreilles — ce n'était pas essentiel — il l'enculerait par-dessus le marché.

Le geôlier s'est mis à rire à ventre déboutonné en affirmant qu'Onésime — il semblait le connaître de vieille date — était un sacré lascar comme on n'en fabriquait plus; il lui a passé une couple de cigarettes et un verre d'eau, et il est parti. Je suis retourné à mon bat-flanc et à ma rédaction. Je ne peux pas dire que j'y prenais goût; ça non; mais, enfin, ça passait le temps. Il me fallait d'ailleurs profiter de la bonace durant laquelle Onésime suçait censément ses deux cigarettes.

Plus tard, je ne sais plus à quelle heure, il faisait vaguement jour (mon gribouillis m'absorbait quand même passablement), la vache geôlière nous (à Onésime et à moi) a apporté une écuelle de porridge à consistance de mastic dans lequel était fichée une cuiller de bois ; et une tasse de carton contenant un liquide tiédasse et grisâtre dont le goût se situait à mi-chemin entre l'urine et l'eau de vaisselle. À en juger par les clapotements et les bruits de succion qui me parvenaient de la cellule adjacente, mon co-entôlé engloutissait ces ordures avec délices. Quant à moi, je me suis enquis auprès de la vache geôlière qui causait avec Onésime (causait au sens large : ce dernier, absorbé par son travail de fosse d'aisance, ne répondant que par de laconiques grognements) si le poste de police ne possédait point de chasses d'eau qui eussent permis de disposer du liquide qu'il m'avait passé sans le verser d'abord dans des récipients de carton pour le transvaser ensuite dans un seau hygiénique — liquide d'origine incontestablement organique, bien que sa teneur en urée fût difficile à déterminer, mélangée qu'elle était d'une proportion inquiétante d'excrétions sucrées de caractère diabétique. Comme je n'étais ni médecin, ni chimiste, je ne voyais pas bien pourquoi il m'avait apporté cet échantillon qui eût pu trouver sa place dans un laboratoire aux fins diagnostiques, mais nullement dans une cellule de prisonnier. La bourrique n'a pas paru suivre toutes les nuances de mon raisonnement. Pendant qu'elle hésitait sans doute entre la colère motivée et le coup de gueule instinctif, j'en ai profité pour lui dire que, en revanche, je comprenais fort bien pourquoi elle m'avait refilé un bol rempli de plâtras : c'était pour boucher, n'est-ce pas, les craquelures du ciment de ma cage dont ledit plâtras avait déjà la couleur et acquerrait vite, en séchant, la consistance. Toutefois, si on voulait que je fisse du travail propre, sans bavure, je réclamais une truelle à la place de la cuiller.

La vache alors m'a dit :

— Si vous voulez pas manger, c'est vot' affaire. On force personne nous autres. Je vous en apporterai plus. Seulement, je vous avertis, y a des prisonniers qui changent d'idée au bout d'une couple de jours.

Et le garde-chiourme est parti. Alors Onésime m'a dit:

— Passe-moi-la, ta popote, si t'en veux pas. Moi, que ça goûte ce que ça voudra, ça me fait pas un pli. Une fois dans le ventre, c'est du pareil au même. Ça sort toujours de la même façon, remarque.

Onésime connaissait sa physiologie. Je lui ai accordé qu'il avait partiellement raison tout en lui soulignant que c'était précisément parce que je tenais à ce que ma nourriture se séparât de moi par les voies naturelles et non pas par l'orifice buccal, que je refusais d'avaler du mastic, fût-il généreusement arrosé d'eau de vaisselle. En même temps, sans que le soi-disant porridge bronchât d'une ligne, je penchais l'écuelle à un angle d'au moins soixante degrés pour la faire passer entre deux barreaux et je la poussais sur le plancher du corridor au moyen de mon brouillard. J'ai fait suivre le même itinéraire à la tasse de carton. Une main osseuse les a fait disparaître l'un et l'autre. Je suis retourné m'asseoir; j'ai détaché avec mes ongles quelques copeaux de mon crayon pour en dégager la mine, et je me suis replongé dans ma rédaction.

J'en étais rendu à la scène d'amour avec Sylvaine (peut-être le passage le plus insipide; mais il fallait passer le temps) quand la vache geôlière (que j'ai reconnue par l'arqué de ses pattes car, jouant les absorbés, je n'ai pas relevé la tête) est venue se planter devant ma cage. Elle méditait — naturellement — une vacherie, mais je ne lui ai pas donné le plaisir de paraître impatient. C'est elle qui, la première, a ouvert la gueule:

— C'est ben de valeur, l'ami, mais on trouve plus vot' dossier. Vous allez être obligé d'attendre un bout de temps. Le capitaine qu'a pris vot' déposition est parti se coucher et on peut pas le déranger pour des niaiseries, vous comprenez...

Il a fait une pause, sans doute dans l'espoir — vain — que je manifesterais de l'humeur, de la colère, puis il a ajouté :

— C'est de valeur, mais on fait tout ce qu'on peut, vous savez.

Je lui ai assuré que je n'en doutais pas : je connaissais assez la capacité de notre force policière pour savoir que, lorsqu'elle ne faisait rien, c'est alors qu'elle était le moins nuisible ; et j'ai recommencé à écrire.

Je ne vais pas noter en détail les atermoiements successifs que différentes vaches, se relevant les unes les autres mais toutes d'une mauvaise foi et d'une malveillance égales, sont venues m'« expliquer ». L'une voulait s'assurer que c'était bien pour « tentative d'assassinat » qu'on m'avait coffré ; l'autre, si j'avais vraiment signé une déclaration selon laquelle je refusais de téléphoner à quiconque sauf à un agonisant dans la jungle indo-chinoise ; une troisième, si je réclamais toujours qu'on me nourrît par injections intraveineuses, etc. Quant à ma déposition, on continuait à « faire l'impossible » pour la trouver. Malheureusement, le capitaine qui l'avait reçue se trouvait en congé pour deux jours. Il était parti en excursion de chasse dans les Laurentides. Impossible de le rejoindre. À la fin je ne les écoutais plus ; je ne prenais même pas la peine de leur lancer des insultes dont d'ailleurs, vu l'épaisseur de leur couenne, les salopards en uniforme eussent été incapables de sentir la causticité. L'un d'eux s'est montré moins vache que les autres : dans l'après-midi, il m'a apporté un sandwich à peu près comestible — enfin je le suppose, puisque je l'ai avalé — et un demiard de lait. Un peu plus tard, on a élargi Onésime en l'avertissant que, s'il s'amusait encore à téléphoner la nuit à des presbytères pour demander aux prêtres d'aller porter l'extrême-onction à des agonisants imaginaires, on le foutrait en tôle pour six mois. C'est uniquement parce que les ecclésiastiques avaient retiré leur plainte que cette fois-ci on ne sévissait pas. Moi, je poursuivais toujours ma rédaction. Il m'est même arrivé d'en tirer un certain, quoique modeste, plaisir. Entre autres, le passage où j'insulte le catarrheux et lance son lorgnon par terre ne m'a pas paru dénué de charme. Je me demande même si, une fois sorti d'ici, le scribouillage, si idiot soit-il, ne figurera pas en permanence comme soupape numéro quatre et ultime — après les additions, les échecs et le cahier de vocabulaire — sur la liste de mes tue-temps. On ne sait jamais : nécessité est mère de l'invention. La vie étant ce qu'elle est, on n'a jamais trop de soupapes. Mais trêve de métaphysique : un des grands écueils du cachot, je m'en rends compte, c'est la propension à patauger dans les idées (les idées!) générales. Il faut tuer dans l'œuf pareille tendance. Les idées générales, c'est comme la conscience : on sait où ça mène. On n'a qu'à causer avec les pions, les calotins et autres masturbateurs intellectuels pour s'en rendre compte. L'embêtement c'est que, si je croupis encore longtemps ici, dans cette cage, j'en deviendrai probablement un masturbateur — pas au sens propre bien sûr, car j'ai, grâce à Dieu, dépassé le stade pubère — mais intellectuel, ce qui est plus sérieux. Enfin, passons.

À neuf heures cinq du soir (on a eu soin de m'édifier là-dessus), la vache geôlière (numéro un, celle de la veille, celle au plâtras et à l'eau de vaisselle) est venue m'annoncer avec un large sourire qu'on avait enfin dégoté ma déposition : le capitaine l'avait glissée sous le sous-main. Rien ne s'opposait donc plus à ce que je téléphonasse — à partir de neuf heures le lendemain matin, naturellement. Les règlements sont les règlements...

Je pense bien que mon scribouillage touche à sa fin. Ce n'est pas trop tôt. Une autre nuit comme la dernière, et ma matière grise deviendrait aussi inerte, aussi marécageuse que celle de Passetout. Un symptôme de ramollissement cérébral s'est d'ailleurs déjà manifesté. Aux petites heures du matin (probablement: je n'avais toujours pas mes montres), un crissement de gonds semblable à celui de la veille, mais agrémenté cette fois d'une cacophonie d'une demi-douzaine de voix, m'a tiré de mon demi-sommeil. Trop éreinté et trop torpide pour risquer la station verticale, j'ai du moins réduit mon contact avec mes trois madriers au minimum praticable dans les circonstances, c'est-à-dire à mon arrière-train et à environ la moitié de la partie postérieure de mes cuisses, et j'ai ressaisi mon crayon et mon brouillard. J'ai tout de suite perçu l'avantage — sous l'aspect diminution de l'emmerdement — du dialogue à plusieurs voix sur le monologue à la Onésime. Les nouveaux entôlés de la cellule voisine étant en effet francophones (autant que j'en pus juger, la proportion de leurs expressions et vocables anglais ne dépassait pas sensiblement vingt-cinq pour cent), ils avaient conservé la précieuse habitude de baragouiner tous en même temps, ce qui, vu la confusion phonique qui en résultait, n'était pas incompatible avec la poursuite de mon griffonnage. J'ai donc pu, malgré mes dodelinements intermittents, abattre durant la nuit un nombre de pages respectable. Puis, la cacophonie adjacente s'étant peu à peu tarie, j'ai, toujours en position assise, roupillé un bon coup. Je me suis réveillé le cou cassé, les reins en charpie, les jambes gourdes, et les tempes percutées d'élancements dont l'impact, autant que j'en pus juger, oscillait entre celui du bélier mécanique et du marteau-pilon. Heureusement que l'alignement des mots ne fait appel qu'aux facultés inférieures, car autrement j'aurais dû, à n'en pas douter, renoncer à mon « travail ».

À l'aube, une nouvelle vache geôlière est venue me porter ma ration de mastic et d'eau de vaisselle. J'ai décidé de garder une motte du premier (que j'ai, grâce à une violente secousse, réussie à détacher de la cuiller et à lancer dans le coin de ma cellule) pour en poisser les barreaux de la porte à mon départ, et jusqu'à neuf heures j'ai continué à noircir du brouillard. Mon bout de crayon fondait d'une façon inquiétante et j'eusse été réduit à la stagnation totale à brève échéance si la bourrique, craignant peut-être de s'attirer des ennuis judiciaires ou ayant besoin de ma cage pour y enfourner d'autres victimes, est venue m'avertir que je pouvais téléphoner. Il va sans dire que je ne connais pas d'avocats et que j'ai rompu avec ceux de mes anciens condisciples qui le sont devenus. Escorté par la bourrique, je suis donc allé jeter un coup d'œil à l'annuaire téléphonique et j'ai choisi comme défenseur Maître Paul-Émile Ratelier. C'était un nom qui, évoquant à la fois l'écurie et le postiche, me plaisait par son ridicule.

Celui qui le portait, toutefois, et qui s'est amené environ une heure après mon appel, ne dépassait pas en bêtise et en grotesque la moyenne admise dans notre bonne société. J'en ai été légèrement désappointé. Quant à son langage, un Français qui l'eût quotidiennement subi pendant quelques semaines aurait fini par en saisir en gros la signification. C'est dire que Ratelier s'exprimait relativement bien. De plus, il connaissait les rouages de l'*habeas corpus* et du cautionnement. Après un entretien éclair durant lequel je n'ai même pas eu la peine de lui faire les honneurs de ma cage, il est allé parlementer avec une quelconque vache assise dans le bureau de réception. J'en ai profité pour étendre sur les barreaux de la porte une couche de soi-disant porridge, griffonner ces dernières lignes dans mon brouillard (que j'ai décidé de garder, attendu qu'il contient encore un bon nombre de pages vierges, utilisables pour mes futures additions), et, quand Ratelier est revenu, un document à la main et précédé d'une bourrique, je me suis levé et je l'ai suivi.

FIN

*Achevé d'imprimer à Montmagny
le vingt-six septembre mil neuf cent soixante-quinze
par les travailleurs des ateliers Marquis Limitée.*